LA FILLE DU CONCIERGE

Micheline Tremblay

La fille du concierge

RÉCIT

Les Éditions
David

303 Boul. Beaconsfield Blvd., Beaconsfield, PQ
H9W 4A7

Les Éditions David remercient le Conseil des Arts du Canada
et le Secteur franco-ontarien du Conseil des arts de l'Ontario.
En outre, nous reconnaissons l'aide financière du gouvernement
du Canada par l'entremise du Programme d'aide au développement
de l'industrie de l'édition (PADIÉ) pour nos activités d'édition.

Les Éditions David remercient également le Cabinet juridique
Emond Harnden.

Catalogage avant publication de Bibliothèque et Archives Canada

Tremblay, Micheline, 1947-
    La fille du concierge / Micheline Tremblay.

(Voix narratives et oniriques)
ISBN 978-2-89597-095-8

    I. Titre. II. Collection.

PS8639.R4539F45 2008   C843'.6   C2008-902251-3

Révision : Frèdelin Leroux
Maquette de la couverture, typographie et montage :
Anne-Marie Berthiaume graphiste

Les Éditions David   Téléphone : (613) 830-3336
265, rue St-Patrick, Bureau A   Télécopieur : (613) 830-2819
Ottawa (Ontario) K1N 5K4   info@editionsdavid.com
www.editionsdavid.com

Le Conseil des Arts | The Canada Council
du Canada | for the Arts

ONTARIO ARTS COUNCIL
CONSEIL DES ARTS DE L'ONTARIO

À mes parents,
Gilberte Lamoureux et *Laurier Tremblay*

À mes enfants,
Marjolaine et *Étienne-Julien Lacroix*

À mon conjoint et premier critique,
Guy Gaudreau,
ma plus sincère reconnaissance
et mon amour, indéfectible

Trois petits pas...

COMME la plupart des humains sans doute, je n'ai guère souvenance des premières années de ma vie. La mémoire est longue à se constituer, à emmagasiner des souvenirs et, surtout, à les restituer quand on la fouille.

Pourtant, une image me reste. Plutôt une séquence. Un clip. Je me revois dans une chambre, dans les bras de ma mère. Une chambre dépouillée. Je ne revois qu'un lit. Blanc. Et une vieille femme, à demi couchée sur ce lit. Si elle parle, je ne l'entends pas ou, du moins, je ne l'entends plus. Je ne peux tracer le contour de son visage. Son regard m'échappe. Ma mère me dépose au pied du lit. Je m'y agrippe. Je me tiens debout, solide sur mes jambes. Ma mère s'éloigne de moi :

— Jocelyne, viens, viens... Montre à grand-maman que t'es capable de marcher.

J'hésite... Elle réitère sa demande. Deux fois, trois, quatre... avant que je me décide à abandonner le pied du lit pour risquer... un premier, puis un deuxième et un troisième pas. Vers elle, vers ma mère qui m'attend de l'autre côté du lit. Je la rejoins et me jette dans ses bras.

Elle me soulève, m'embrasse sur la joue. Heureuse, fière de sa fille.

Beaucoup plus tard, ce souvenir me revient en mémoire. Je le raconte à ma mère.

— C'est impossible… T'étais trop petite… tu t'es forgé des souvenirs à partir de ce que ton père ou moé on t'a raconté… on t'a peut-être montré des photos…

— Des photos ? Où elles sont ces photos ?

— J'sais pas. Dans les albums de photos, probablement.

Malgré mes recherches dans tous ces albums, je n'ai trouvé aucune photo, témoin de mes premiers pas.

— Y a pas de photos, maman. Y en n'a pas. Si je m'en souviens, c'est pas parce qu'on me l'a raconté ou que j'ai vu des photos.

Inutile d'argumenter. La cause est entendue. J'étais trop jeune. Pourtant, dans ma tête, je peux faire tourner le film de cette scène qui, même si elle ne dura que quelques secondes, s'est gravée sur la pellicule de mon cerveau. Quel âge pouvais-je avoir ? Je cherche dans le missel de ma mère les cartes mortuaires qu'elle y conserve. J'y trouve celle d'Amanda Brodeur… épouse de feu Joseph William Chartrand… décédée le 9 avril 1949. J'avais donc un an et demi quand elle est morte.

Malgré ma raison qui tente de me convaincre de l'impossibilité de mon souvenir, je reste persuadée que je revois cette scène.

Pourquoi « ce seul » souvenir ? Je marche vers ma mère qui m'accueille dans ses bras, m'y serre, m'y enserre. La joie de ma mère me pénètre. Je suis heureuse : j'ai fait plaisir à ma mère. Je suis heureuse : ma mère est fière de moi. Je suis heureuse : j'ai accompli un exploit. Trois petits pas qui font de moi sa fierté !

Voilà pourquoi je me souviens encore de ce jour.

L'envie

DEPUIS son entrée sur le marché du travail, ce qui se fait rapidement puisqu'il abandonne l'école après sa sixième année — il a doublé ses deuxième et quatrième années —, mon père butine d'un emploi à l'autre. Sans diplôme, sans compétence particulière, sans métier, sans talent notable, il ne peut — surtout en cette période de crise — trouver un emploi, sinon intéressant, à tout le moins stable et payant. Sa santé précaire lui interdit d'envisager un travail dans les mines ou dans les chantiers. Toutefois, ces handicaps ne l'empêchent pas de trouver un travail et jamais il n'a eu besoin de recourir au secours direct ou à l'assurance-chômage. Il était, comme on le disait à l'époque, « un homme vaillant ».

Pompiste à Calex. Laitier pour J.-J. Joubert. Manœuvre chez Cadbury. Livreur pour *Au bon coin*, petite épicerie du Plateau Mont-Royal. Commis aux fruits chez Steinberg. Il combine travail de jour et travail de soir pour joindre les deux bouts : c'est ainsi qu'empaqueteur de jour pour Tousignant, il remplit, le soir, les tablettes pour Dionne, l'épicerie rivale. Trente-six métiers, trente-six misères.

Le mariage, la paternité et les responsabilités qui s'ensuivent l'incitent à chercher une plus grande stabilité. N'est-il pas le pourvoyeur ? Celui dont le devoir est d'assurer la subsistance de sa famille, son bien-être et, si possible, son confort ? Lourde responsabilité !

Mon père répétait souvent que, pour obtenir un emploi, « qui tu connais » prévaut sur « ce que tu connais ». Aussi, une demande d'emploi « bien appuyée » lui permet d'obtenir un poste de concierge au service de la Commission des écoles catholiques de Montréal, la C.E.C.M.

À trente-quatre ans, mon père recommence à neuf. Il démissionne de son poste de responsable des légumes et des fruits au Steinberg de la rue Mont-Royal, pour devenir concierge de Saint-Vital, une école mixte d'une douzaine de classes, située sur le boulevard Pie-IX, tout près du pont de la Rivière-des-Prairies, à Montréal-Nord. C'est un changement radical dans la vie quotidienne de la famille. Sauf pour moi, qui suis encore trop jeune pour en mesurer l'impact.

Première conséquence : déménagement. Étant donné que mon père n'a pas d'auto, il faut quitter le petit quatre et demi du triplex de la rue des Érables, sur le Plateau Mont-Royal, où mon frère et moi sommes nés, pour emménager dans un trois et demi exigu, mais plus moderne, de la rue Parc Georges. Le loyer augmente de près de dix dollars par mois, sans compter le chauffage et l'éclairage, non inclus dans le prix.

Comme mon père l'avait prévu, il faut se serrer la ceinture. Pourquoi, dans ces conditions, vouloir changer d'emploi ? Parce que la C.E.C.M. offre des avantages sociaux : fonds de pension, assurance-vie, congés de maladie et vacances payées. Et, surtout, la sécurité d'emploi. Ma mère et lui étaient prêts à tous les sacrifices pour obtenir cette sacro-sainte permanence. Finis les brusques licenciements, l'angoisse du lendemain. Mon père venait, à la mi-trentaine, de trouver la niche qui lui permettrait d'assurer une certaine stabilité à sa famille.

— Enfin ! Une *job steady* ! lui avait dit ma mère.

Sa baisse de salaire l'amène à se trouver un autre travail, à temps partiel. Trois soirs par semaine, le voilà vendeur pour Familex, une entreprise de produits de beauté et d'entretien ménager. Muni de sa valise, il fait du porte-à-porte ou mieux, il organise des démonstrations qui regroupent plusieurs clients éventuels et octroie en prime, à celui qui reçoit, quelques échantillons. Il se déplace parfois en tramway, le plus souvent à bicyclette. Absent le jour, absent le soir, nous le voyons rarement. Nous dormons à son départ, tôt le matin ; nous dormons à son retour, tard le soir. Sauf durant les vacances d'été.

Pour joindre les deux bouts, ma mère décide de faire sa part. Bonne couturière, elle travaille à la maison, pour une manufacture de vêtements : payée à la pièce.

Le nouveau travail de mon père amène ainsi un important bouleversement dans la vie de mes parents et dans la vie familiale. Si mon père, de par ses fonctions, est en constante relation avec un tas de gens, ma mère, elle, se sent isolée dans ce coin éloigné de la ville qui lui est totalement inconnu. Loin de sa mère et de ses frères et sœurs qui habitent soit Rosemont, soit Villeray. Loin de ses amies, restées sur le Plateau. Son travail et ses deux enfants — dont moi qui ne suis pas encore d'âge scolaire —, l'empêchent de les fréquenter aussi souvent qu'elle le voudrait. Rivée à sa machine à coudre, elle s'ennuie ; jamais, toutefois, elle ne remet en question la décision de mon père d'accepter ce nouvel emploi. À long terme, elle en est convaincue, toute la famille y gagnera.

Mon frère, lui, doit changer d'école. En passant de Saint-Pierre-Claver, une école pour garçons, à Saint-Vital, une école mixte, il perd tous ses repères. Fini le temps des institutrices, il doit maintenant composer avec un instituteur. Le choc est d'autant plus grand qu'il se retrouve dans une classe où il ne connaît personne.

Malgré la mixité de l'école, les garçons et les filles ne se côtoient pas, sauf dans la cour. Dès que la cloche sonne, les garçons d'un côté, les filles de l'autre. Aux extrémités de la salle de récréation, deux escaliers mènent aux étages : un pour les garçons, un pour les filles.

Pendant les vacances d'été, l'école, vide, se transforme, pour nous, en terrain de jeu. Pendant que papa et maman lavent les planchers, les casiers, les vitres, les corridors, les toilettes…, nous explorons les trois étages en jouant à cache-cache ou à la *tag*. On course : l'un part de l'escalier des filles, l'autre de celui des garçons. Qui arrivera en haut le premier ? De cinq ans mon aîné, Pierre remporte toujours la palme. Dans les classes, tout est à notre disposition : les pupitres du maître et ceux des élèves, les tableaux noirs, les craies… D'un pas solennel, mon frère gravit les trois marches de l'estrade, s'assoit cérémonieusement derrière le pupitre de l'instituteur. Et on joue à l'école, comme d'autres jouent à la mère ou à la balle. Il est le maître, je suis l'élève. À l'avant de la classe, épinglées en haut du tableau, les lettres de l'alphabet tracées en blanc sur des cartons noirs, en écriture moulée ou cursive. Imitant l'instituteur, mon frère, avec la longue baguette de bois, les désigne une à une :

— A… Répète… A.

Docile, je répète :

— A…

— B… Répète… B.

— B…

— B et A, ça fait quoi ?

— …

— B et A, ça fait… b…b…b…ba. B et A, ça fait BA.

De jour en jour, la baguette progresse d'un carton à l'autre… C'est le C, puis le D… si bien qu'à la fin de l'été je reconnais aisément toutes les lettres. Quand il entreprend de mettre plusieurs syllabes les unes à la suite des autres, le jeu devient fascinant. Chaque jour, j'en découvre de nouvelles.

— BA…NA…NE… Regarde, BA-NA-NE.

Assembler des lettres, trouver des mots : cela m'émerveille.

— CA…BA…NE.

— TO…MA…TE

Je découvre un nouveau monde. Le jeu me passionne. Partout où je vais, partout où je regarde, je tente de déchiffrer les mots : sur les boîtes de céréales, de conserves, les couvertures de livres, les billets de banque… Tout devient prétexte à la lecture.

Au-dessus du tableau latéral, celui qui longe les pupitres des élèves : des chiffres. De la même manière que pour les lettres, mon frère veut m'apprendre à les reconnaître : de 0 à 10. Il veut m'apprendre à compter, de 20 à 50… jusqu'à 100. Cela ne m'intéresse pas. Je reviens toujours aux lettres. Quand il tente de m'initier au calcul, de me faire additionner ou soustraire, il perd complètement mon attention.

— Tu m'écoutes pas…

— J'aime pas ça des chiffres… c'est plate.

S'il se fâche, la leçon s'interrompt abruptement.

— Achale-moi pas avec tes chiffres… je l'aime pas ton jeu.

Et je quitte la classe.

En somme, tout au long de l'été, mon frère « m'a appris » l'école.

En septembre, j'entre en première année. Le premier jour, mon père m'amène, assise sur la barre de sa bicyclette : un vingt-huit pouces comme il ne s'en fait plus. Je porte l'uniforme : une blouse blanche et une tunique bleu marine. Pour éviter d'attraper des poux, mes cheveux sont nattés. Contrairement à beaucoup d'autres fillettes, je ne pleure pas. Je suis même heureuse. L'école m'ayant servi tout l'été de terrain de jeu, je ne crains rien. J'en connais les moindres recoins. De plus, mon père m'accompagne et je sais qu'il sera là tout le temps, que je vais revenir avec lui, midi et soir. Le passage de la maison à l'école se fait donc sans heurts et sans larmes. J'en ressens une grande fierté. Jusqu'au jour où…

Ce n'était pas le premier jour, pas même la première semaine. En fait, je ne me souviens plus du moment… Assise à mon pupitre, j'écoute attentivement les explications de Mlle Laporte, ma *maîtresse*. Une jeune fille grande et mince comme un mannequin, au sourire accueillant et d'une grande douceur. J'écoute attentivement la leçon quand je prends conscience que j'ai envie. Habituée à me retenir, je presse mes muscles pour leur commander de se tenir coi. Ce n'est pas encore au tour de ma classe d'aller aux toilettes. Le temps passe… Je regarde la grosse horloge… bien inutilement d'ailleurs puisque j'arrive à peine à en reconnaître les chiffres. De plus, je ne me souviens jamais des fonctions de la petite et de la grande aiguille. Laquelle indique les minutes? Laquelle les heures? Laquelle avance le plus vite? Comment sont-elles disposées quand la cloche sonne la récréation? Récréation qui me permettrait de descendre au local de mon père, dans la cave de l'école.

L'envie presse. Incapable de me concentrer sur la leçon, je me dandine discrètement sur mon siège, serre les jambes, contracte davantage mes muscles. Je regarde de nouveau l'horloge qui fait du surplace.

— B a, BA, B e, BE, B i, BI…

En vain, j'essaie de suivre les ânonnements. Même si je sais déjà tout ce qu'elle enseigne, je veux éviter d'attirer son attention. Mon seul désir : tenir jusqu'à la cloche. Cette cloche libératrice !

Lever la main ? Demander la permission de sortir ? Hors de question. Cela attirerait sur moi les 66 yeux des 33 autres élèves de ma classe. De plus, qui sait si, une fois la permission accordée, je pourrais encore me retenir. Prise au piège entre la honte et la peur, mes joues rosissent. Je transpire !

— Mon Dieu, faites que je ne pisse pas. Mon Dieu, aidez-moi à me retenir. Je vous promets de réciter trois « Je vous salue Marie ». S'il vous plaît, aidez-moi !

Le Créateur reste insensible à ma demande. L'instant fatal : une goutte... glisse... Je tente de me rassurer : « Ce n'est qu'une toute petite goutte. Personne ne la voit. Je suis seule à le savoir. C'est à peine si je la sens. » Toute mon énergie, je l'emploie à colmater cette brèche.

— L a, LA, L e, LE, L i, LI...

... un beuglement rythmé..., que j'entends sans écouter, comme un bruit ambiant qui vient d'ailleurs, de très loin. Une deuxième, une troisième... Le glissement des gouttes s'accélère... et je n'entends plus que leur vacarme sur le parquet... C'est le tour du R... du S... Les consonnes se succèdent... Et toujours cette horloge qui n'avance pas !

— On reprend maintenant en mélangeant les lettres.

La longue baguette de Mlle Laporte indique une consonne, puis une voyelle et c'est à qui crierait le plus fort et le plus vite :

— RA, BI, DO...

Je ne réponds plus. Si je desserre les lèvres, je perds tout contrôle. Mes joues bouillent. Mes yeux se noient. Le regard de Mlle Laporte croise le mien. Un effort suprême pour joindre ma voix à celle des autres. Un piètre effort, déjà trop grand. Je sens une chaleur m'inonder, descendre le long de mes cuisses. J'entends le bruit d'un écoulement sur le plancher de bois. La honte m'ankylose. Je baisse la tête pensant que si je ne regarde personne, personne ne me regardera. Personne ne s'en apercevra !

— Jocelyne, va aux toilettes !

Humiliée, je me lève et me dirige vers la porte de la classe les yeux baissés, les lèvres crispées, les jambes serrées… Un effort trop grand. La pisse coule maintenant librement, abondamment. Des éclats de rire en crescendo et le poids du regard des autres accélèrent mes pas. N'ayant plus rien à perdre, je me rue vers la porte et sors sans même la refermer. Une sortie remarquée. Après avoir laissé ma trace sur une bonne partie des carreaux de céramique octogonaux noir et blanc du corridor, j'atteins enfin les toilettes, m'enferme dans un cabinet et m'assois sur le siège sans même prendre le temps de baisser ma culotte. À quoi bon, de toute façon ? Je pleure de honte. Je sanglote. Je n'ose plus sortir. Je ne veux pas sortir. Je ne veux voir personne. L'institutrice appelle mon père pour nettoyer mon dégât.

Pour mon père, c'est banal. Nettoyer les vomissements, essuyer le pipi, parfois même ramasser des diarrhées, cela fait partie de ses tâches. La routine. Le quotidien. Il en a vu bien d'autres… et des pires ! Il prend cela avec un grain de sel et tente toujours de consoler l'enfant coupable :

— C'est pas grave !

— Tu t'en souviendras pas le jour de tes noces !

— Il faut bien laisser parler la nature…

Voilà ses phrases clés pour apaiser la gêne. C'est donc « mon » père qui nettoie « mon » dégât. Quelle honte ! Me sachant toujours aux toilettes, il avise l'institutrice qu'il s'occupera de moi. Il vient m'y chercher. Juchée et recroquevillée sur la cuvette, pour qu'on ne voie pas mes pieds sous la porte, je tente vainement d'étouffer mes larmes… J'ai peur que toute une classe arrive et me prenne en flagrant délit : la tunique trempée. Passer inaperçue, être invisible, c'est tout ce que je souhaite.

Bien qu'étouffés, mes reniflements indiquent vite à mon père où je me terre.

— Jocelyne, sors de là. C'est pas grave. Tu t'en souviendras pas le jour de tes noces…

Pour lui, je ne suis qu'un cas parmi d'autres. Un incident anodin comme il en voit quotidiennement. Il me sert les mêmes paroles, supposément apaisantes, qu'il avait dites à d'autres avant moi. Cela ne me console pas. Ma honte redouble. Honte devant ma classe. Honte devant mon père. S'il avait essuyé mon dégât, il ne réussissait pas à essuyer ma cuisante humiliation.

— Allez, sors de là !

— J'veux pas sortir. J'suis toute mouillée.

— Si tu sors pas tout de suite, ça sera encore pire…
la 5e va arriver bientôt. Si tu sors tout de suite, on pourra
l'éviter.

— J'veux pas retourner en classe. J'veux pas aller à la
récréation. J'veux m'en aller à la maison.

— C'est correct. Sors et j'vais t'emmener dans la cave.
Personne te verra. À midi, j'vais te ramener à la maison et
tu y resteras.

Je suis sortie. Il a tenu parole. Le reste de l'avant-midi,
je l'ai passé dans la cave et il m'a ramenée à la maison,
comme d'habitude, assise sur la barre de son 28 pouces.
Cet après-midi-là, je ne suis pas revenue à l'école, même
si ma mère n'était pas d'accord.

— Chose promise, chose due, dit-il.

Pour la première fois, la honte, un sentiment que je
ne connaissais pas, s'est infiltrée en moi. Désormais, elle
me collerait à la peau, comme un tatouage en plein milieu
du front !

Le lendemain, je ne voulais pas me montrer en classe.
Malgré mes larmes, mes parents ont tenu bon. J'y suis
allée… à reculons. Avec réticence. Dans le regard de toutes mes compagnes, je lisais mon déshonneur. Elles riaient
toutes de moi — du moins en avais-je l'impression. Les
risées n'ont sûrement duré que quelques jours. Mais je
portais en moi la crainte qu'un jour ou l'autre, l'une d'entre elles ne ravive ce moment de honte. Avec toutes, je me
suis donc montrée des plus gentilles, cherchant à leur faire
plaisir. L'école était devenue un lieu de peur, presque de
supplice.

Pourquoi n'ai-je pas, tout simplement, demandé l'autorisation de sortir ? Cela aurait été si simple. Si simple, mais impossible ! Si j'y ai pensé, je n'ai jamais pu m'y résoudre. Incapable de demander quoi que ce soit : une autorisation, une permission, une faveur, une question, une explication, un service... Peur d'affronter le regard des autres ? À partir de ce moment-là, on m'identifia comme « timide ».

Durant tout mon cours primaire, la seule éventualité de revivre ce sentiment de honte me terrorisait. Tant et si bien que je vivais ma vie comme une ombre. Une ombre pâle, sans consistance, qui se faufile, rase les murs, rampe sur le sol afin de passer inaperçue. Une ombre *off white* qui prenait la teinte de l'environnement, devenait ce que les autres voulaient que je sois, évitait tout conflit, tout affrontement. La peur viscérale du regard des autres me paralysait. En groupe, je me taisais, n'affirmais jamais mes idées. En fait, je n'en avais pas. J'étais paralysée. Mon cerveau se figeait, mes idées gelaient. Je devenais cancre. Inutile de dire que j'ai toujours préféré travailler en solitaire. C'est dans la solitude que je pouvais donner le meilleur de moi-même.

❧

Le concierge

S i mon père était demeuré concierge de l'école Saint-Vital, j'aurais probablement haï l'école et n'aurais sans doute terminé que péniblement mon cours secondaire. Heureusement, il quitta Saint-Vital pour Sainte-Véronique située sur le Plateau Mont-Royal.

Pourquoi ce changement ? Tout simplement parce que le salaire est établi en fonction du nombre de classes et que l'école Sainte-Véronique en comptait vingt-six. Cette école primaire, exclusivement réservée aux filles de la 1re à la 9e année, était située rue Parthenais, près de Rachel, derrière ce qui s'appelait l'Institut Bruchési. C'était un grand bâtiment en brique rouge. Au milieu de la façade, un imposant escalier de pierre grise — l'escalier des sœurs, car elles seules avaient le droit de l'emprunter — donnait accès aux bureaux de la sœur directrice et de son assistante. Quarante-deux marches ! De chaque côté de ce long escalier, une étroite allée bordée d'un long parterre menait à une porte, réservée aux institutrices, au laitier et aux ouvriers. Quant aux élèves, elles accédaient à leur salle de classe soit par le long escalier extérieur du côté droit de l'école, soit, du côté gauche, par la porte donnant accès à la salle de récréation ou par l'escalier intérieur menant aux classes. Ainsi, les diverses allées et venues, autant du personnel que des visiteurs ou des élèves, étaient régies par des règles tacites que tout le monde respectait. Sauf quelques rebelles qui se voyaient vite mises au pas, souvent même par mon père qui les dénonçait à la direction.

À l'arrière, la cour d'école, entourée d'une haute clôture grise, en bois, bouchait la vue sur la rue Messier. C'était là que chaque matin, les élèves se retrouvaient pour jouer en attendant le premier coup de cloche qui exigeait un arrêt immédiat de toute activité, puis le second coup, signal que l'on devait, en silence, former des rangs parfaitement rectilignes avant de monter à nos classes respectives. Les titulaires les passaient en revue. Le rang était-il bien droit ? Les élèves se tenaient-elles correctement, bien droites ? Pas de regard en arrière même si on sentait que notre camarade, à l'arrière, s'amusait à tirer le pompon de notre tuque. La tentation était forte de chuchoter...

Le métier de concierge n'est pas de tout repos. Déneiger les entrées, s'assurer qu'elles sont sécuritaires. À Sainte-Véronique, il y en avait cinq, en plus de deux longs escaliers extérieurs. Le matin, après le début des classes : essuyer les zones d'accès, en cas de pluie ou de neige, afin que personne ne glisse. Répondre aux urgences : nettoyer du vomi, ouvrir une toilette qu'une espiègle a verrouillée de l'intérieur ; réparer une chasse d'eau, fournir des craies... Bien entendu, ces interventions ne devaient pas entrer en conflit avec les différents horaires des classes.

Quand l'école était terminée, vers 16 h 15, c'était là que le gros du travail commençait : balayer les classes, laver les tableaux, nettoyer les brosses, vider les paniers, laver les planchers des corridors et des toilettes (cette fameuse petite céramique blanche, au pourtour noir, très salissante), fermer les fenêtres, vérifier les portes. Il veillait aussi à ce que les fournaises chauffent suffisamment le bâtiment et, pour cela, il se couchait tard afin que le charbon puisse tenir jusqu'au lendemain. De plus, comme il devait veiller à ce que rien ne manque, c'est lui qui faisait les bons de commande soit pour le charbon, les produits ou les outils d'entretien. Il devait signaler tout ce qui nécessitait une réparation importante afin que des ouvriers spécialisés s'en occupent.

Tout le monde croit que, durant la période estivale, le concierge peut se la couler douce. Pas d'élèves, pas d'instituteurs, pas de travail. Que non ! Durant l'été, mon père devait laver les vingt-six classes, sortir tous les pupitres, laver les murs, les plafonds, les casiers, les planchers qu'il devait aussi cirer et polir. Sans compter les corridors, les toilettes, les escaliers des quatre étages, la salle de récréation, la classe de couture, d'enseignement ménager, la bibliothèque, le réfectoire, la salle des professeurs à chaque étage, les locaux administratifs... et j'en oublie. Évidemment, il fallait ensuite tout replacer. La fin de semaine qui précédait l'entrée des élèves, au début de septembre, il fallait désinfecter les livres. Je l'aidais à les étaler sur les pupitres, debout, pour que le formaldéhyde puisse agir. Deux jours plus tard, il fallait les remettre dans les pupitres et ouvrir toutes les fenêtres afin de dissiper la forte odeur avant l'entrée des élèves. Bref, c'était là le travail estival d'un concierge.

Afin que mon père puisse vraiment se reposer durant ses deux maigres semaines de vacances, ma mère l'aidait souvent. Parfois aussi, mon frère et moi. Mon frère pour balayer les classes. Moi pour vider les paniers, laver les tableaux, nettoyer les brosses, placer les craies.

* * *

Mon père est un homme important.

Mon père parle à la directrice.

Mon père parle à l'assistante.

Mon père parle aux institutrices.

Les élèves le reconnaissent; il les connaît, sinon de nom, tout au moins, de visage.

Il est responsable de la propreté, du chauffage, du bon ordre de l'école.

Toutefois, mon père a vite pris conscience des préjugés généralement désobligeants associés à sa fonction. Le concierge, c'est celui qui torche, qui met ses mains dans les cuvettes des toilettes, qui ramasse les dégâts. Quand on est incompétent en tout, quand on ne sait rien faire, on devient concierge. Même si la majorité du personnel apprécie ses services, son amabilité, son sens de l'humour, sa capacité à dédramatiser les incidents (comme les pipis par terre), certaines institutrices le regardent de haut ou l'ignorent, tout simplement. Mon père est très sensible à cette condescendance. Une enseignante ne le salue pas, elle le snobe. La directrice de l'école oublie de le présenter à un inspecteur, elle veut l'humilier. Dans le regard et l'attitude méprisante de certains à son égard, il a l'impression qu'on le confond avec l'objet de son travail : la crasse, les ordures, la saleté.

Sa fierté en prend un coup.

Il la retrouve dans l'alcool, la bière surtout. Et aussi dans sa première auto, une Chevrolet usagée beige qu'il peut maintenant se permettre d'acheter... à crédit, il va sans dire.

Et surtout, dans la propreté de « son » école. Car c'était véritablement « son » école, comme le violoniste possède « son » violon et la couturière « sa » machine à coudre.

J'ai mis du temps à comprendre le profond sentiment d'humiliation qu'il éprouvait du fait d'être concierge. De n'être que le concierge. Au sein même de notre famille, il était perçu comme un homme de peu d'envergure, sans instruction et sans métier. Par exemple, lors de la mort d'une de ses tantes, il organisa une réunion de famille dans une salle de professeurs. C'était la place idéale pour accueillir une quinzaine de personnes, aucun n'ayant un logement suffisamment grand. À la fin de la réunion, son beau-frère — l'un des seuls hommes instruits de la famille : il était instituteur — échappa par mégarde une bouteille de coca-cola, à moitié pleine. Il se tourna alors vers mon père :

— C'est pas grave... le concierge nettoiera !

◈

... et sa fille

POUR parodier Gilles Vigneault, je pourrais dire que ma maison, ce n'était pas une maison..., mais une école. Vivre dans une école ! Cela constituerait sans doute le pire cauchemar de certains enfants pour qui l'école représente un lieu d'obligation, d'interdiction, peut-être même de proscription. De tourments. Et moi, je passais presque la totalité de mon existence dans ce lieu maudit où un logement de fonction était aménagé pour le concierge et sa famille.

L'école Sainte-Véronique devenait ainsi non seulement ma nouvelle école, mais mon nouveau terrain de jeu. On accédait à notre logis par une porte dissimulée sous le long escalier des élèves. On entrait directement dans la cuisine, la seule pièce blanche de tout le logement. De la cuisine, un couloir menait, à droite, à une porte qui aboutissait à l'emplacement réservé aux fournaises ; au fond du corridor, une autre porte débouchait sur un escalier conduisant à la salle de récréation. La cuisine, avec son immense garde-manger, composait la pièce centrale d'où on avait accès à la salle de bain, à la salle à manger, à la chambre de mon frère et à une pièce double, le salon à l'avant et la chambre de mes parents à l'arrière. Comme je n'avais que six ans, mes parents ne voyaient pas d'objection à ce que je partage la chambre de mon frère. Très vite toutefois, ma mère a exigé que l'on divise la salle à manger en deux pour que j'aie mon espace personnel.

Bien qu'exiguë, ma chambre était mon lieu de prédilection : ne l'avait-on pas fait construire spécialement pour moi ? Comme la pièce était beaucoup plus longue que large, de mon lit, adossé au mur adjacent à l'ancienne salle à manger, je pouvais accéder à tous les meubles sans mettre le pied par terre. Du côté opposé au lit, une très haute et large fenêtre sous laquelle se trouvait un long calorifère à eau chaude. Entre le lit et la fenêtre, sur le mur contigu à la chambre de mon frère, un pupitre. Un vrai, provenant directement d'une classe ! Du côté gauche de la fenêtre, une commode posée de biais pour qu'elle puisse se glisser entre le calorifère et le mur. Face au lit, une étroite mais longue armoire que j'utilisais comme penderie. La porte s'ouvrait sur l'ancienne salle à manger et séparait le lit de cette armoire. Une chambre sombre ! La fenêtre, malgré ses dimensions imposantes, était dissimulée sous l'escalier extérieur et une vingtaine de pieds à peine la séparait du mur de brique du triplex voisin empêchant ainsi toute pénétration du soleil. L'éclairage était assuré seulement par une lampe de travail, sur mon pupitre, et une autre sur ma commode. Malgré sa petitesse et son peu de luminosité, c'était mon refuge, mon nid. Je m'inventais des histoires. Mon lit devenait parfois une bouée sur une mer périlleuse ou ma chambre se métamorphosait en château dont j'étais la princesse… Mon décor quotidien se transformait du tout au tout, au gré de mes fictions.

À l'exclusion de la cuisine, les autres pièces étaient grises. Un gris foncé, acier. La C.E.C.M. fournissait la peinture, mais le choix était restreint : blanc ou gris. Pour donner un peu de couleur, ma mère avait peint une bande tout au haut des murs : rose dans ma chambre, vert lime dans l'appartement double, vert feuille dans la chambre de mon frère. Du gris partout. Mais la couleur m'importait peu. J'avais un coin bien à moi : cela me comblait. Tant de mes amies devaient partager leur chambre avec une sœur aînée ou cadette. Je me sentais privilégiée.

Même si j'aimais bien ma nouvelle maison, Sainte-Véronique restait une école, une école que je devais fréquenter. La veille de mon entrée, pour faciliter mon intégration, mon père me présente à ma nouvelle institutrice : une vieille dame, sûrement au bord de la retraite, que je prends immédiatement en grippe parce qu'elle ne ressemble pas à Mlle Laporte. En plus d'être trapue, elle a des cheveux blancs relevés en chignon qui lui donnent l'air d'une sorcière sortie directement de *La Belle au bois dormant*.

— J'l'aime pas ! J'veux pas être dans sa classe. Elle me fait peur !

Le lendemain, je dois m'intégrer à mon nouveau groupe. Même si je demeure « dans » l'école, mes parents exigent que, comme toutes les autres, je me rende dans la cour pour attendre la cloche et prendre mon rang. Je ne dois jouir d'aucun traitement de faveur. Sachant à quelle heure la cloche sonne, j'attends à la toute dernière minute avant de sortir de la maison. Je regarde dans la cour. Bien sûr, je ne connais personne. Cachée derrière la clôture de bois, je regarde les élèves jouer, courir, parler, rire. J'aperçois aussi ma nouvelle institutrice — mais vieille et laide et que je déteste —, se promener avec une ribambelle d'enfants autour d'elle. En voyant une élève s'accrocher lourdement à son bras, je me sens soudain terriblement seule. Une sorte de panique m'envahit : j'ai peur. Peur des autres. Au bord des larmes, craignant de me mettre à pleurer, je reviens chez moi en courant.

— J'veux pas aller à l'école, j'veux pas, j'veux pas...

C'était tout ce que j'arrivais à dire.

— Pas d'caprice. T'as pas l'choix. Allez ! Essuie tes larmes. Dépêche-toi, la cloche va sonner.

Le ton intransigeant de ma mère empêche toute négociation. D'instinct, je sais qu'elle ne flanchera pas : je ne pourrai échapper à cette première journée dans ma nouvelle école.

Dès le pied dans la cour, la cloche sonne. Je repère le rang devant lequel se tient, bien droite, celle que je qualifie de « sorcière » et m'en approche. Elle me voit, me fait signe d'approcher et elle m'assigne une place en fonction de ma grandeur : au quatrième rang, car je ne suis pas très grande. Je me sens regardée : je suis la *nouvelle*. L'objet de curiosité. Personne ne sait encore que je suis *la fille du concierge*.

En moins d'une semaine, la « sorcière » s'est transformée en « bonne fée ». Et je fus bien non seulement dans ma nouvelle maison, mais dans ma nouvelle école.

Ce qui m'emballait plus que tout, c'était la salle de récréation. Dès que l'école était finie et que le personnel avait quitté les lieux, soit vers cinq heures, mon frère et moi avions la permission d'y jouer. Durant la fin de semaine, c'était notre royaume, à moins qu'elle n'ait été réservée pour des activités comme les cours de préparation au mariage qui attiraient souvent plus de 200 personnes, les Alcooliques Anonymes qui buvaient toujours du café à la fin de leurs réunions, les scouts qui s'assoyaient en rond, les Feux-Follets dont j'admirais les farandoles… et combien d'autres !

Cette salle recelait de multiples possibilités. Aucune de mes nouvelles amies ne pouvait rivaliser avec moi sur l'immensité de leur espace de jeu. J'avais grand pour courir, sauter à la corde, jouer au ballon, même faire de la bicyclette. Je revois encore les longues tables de *mississipi*, celle du tennis de table, le piano… Le jeu dont je raffolais le plus, c'était le hockey. Peut-être parce que je remportais souvent la victoire contre mon frère qui était pourtant de cinq ans mon aîné. Des poubelles pour les buts et une balle pour la rondelle. Et des bâtons de hockey, la plupart du temps trop longs pour moi ! Mais j'étais vive et astucieuse. Je me faisais des passes en lançant la balle contre le mur pour la reprendre tout près du but de l'adversaire.

Des amies venaient à la maison ? C'était la *cachette*. Évidemment, connaissant tous les recoins de l'école, il était difficile de me repérer. Comment auraient-elles pu croire que j'étais recroquevillée sous la housse du piano ? Ou que j'avais grimpé sur le calorifère pour atteindre le large rebord d'une fenêtre où je me dissimulais derrière le store que j'avais tiré ? Ou encore derrière une longue pile de chaises ? Ou à l'intérieur de la haute et large armoire qui, au fond de la salle de récréation, servait à ranger le matériel de gymnastique. Un jour, d'ailleurs, cette armoire a failli me coûter un bras, au sens propre du terme. Mon père avait laissé, juste à côté, un grand escabeau qui atteignait presque le dessus de l'armoire.

— Quelle bonne cachette ! Personne pourra me trouver ! me dis-je.

Je grimpe jusqu'au dernier barreau et me glisse sur le dessus de l'armoire. Je m'y étends. Personne ne peut me voir. J'en suis certaine. J'entends, au bas, mes amies qui, l'une après l'autre, sont découvertes ou parviennent à se délivrer elles-mêmes, déjouant de vitesse celle qui s'acharne à nous dépister. Au bout d'un certain temps, plus rien. Je n'entends plus rien.

— Qu'est-ce qu'elles font ? Elles me cherchent plus ?

Intriguée, je m'avance jusqu'au bout de l'armoire et risque un regard vers le bas. Personne ! Où sont-elles donc ? Au moment même où je me pose cette question, les lumières s'éteignent. Je me retrouve seule, dans le noir. J'attends quelques minutes. Rien ! Je me décide à descendre. L'armoire étant assez étroite, je ne peux que reculer. À tâtons, j'essaie de retrouver les barreaux de l'escabeau.

Je ne réussis pas. J'allonge démesurément ma jambe. Peine perdue !

— Ça s'peut pas, il doit être là. Comment ça s'fait que j'le trouve pas ?

Après maints essais, j'abandonne l'idée de retrouver l'escabeau. Je réfléchis à une autre façon de descendre. Pas question d'appeler à l'aide ! Je déplace mes jambes, les laisse pendre et je glisse lentement, en me retenant par les mains… et je saute. Douze pieds me séparent du plancher. J'atterris durement sur le sol… au milieu des éclats de rire de mes amies… Évidemment, c'étaient elles qui avaient reculé l'escabeau… J'en fus quitte pour une bonne entorse à la cheville !

J'ai vécu sept ans dans cette école. Sept années pendant lesquelles pesait sur moi une lourde responsabilité : celle d'être la *fille du concierge*. À ce titre, je me trouvais du côté de l'autorité. Du côté des règlements auxquels je ne pouvais déroger, puisqu'il incombait à mon père de les faire respecter. Même si la rébellion n'était pas dans mon caractère, en tant que fille du concierge, je devais réprimer le moindre mouvement de dissipation. Aucune incartade ne m'était permise. Pire : j'étais souvent coincée entre mon désir de solidarité et mon devoir de dénonciation.

— Y a encore une fille de ta classe qui a barré la porte d'une toilette.

C'était une espièglerie fréquente qui obligeait mon père à ramper sous la porte pour la débarrer de l'intérieur. Pour identifier la coupable, mon père avait mis de la craie rouge sous le bas des portes des douze cabinets des toilettes du deuxième étage. Ainsi, en sortant par en dessous, la coupable tacherait ses vêtements. Il suffirait de repérer la craie rouge pour l'incriminer. Que devais-je faire ?

Me taire ? Pour épargner à mon père la tâche fastidieuse de ramper sous les portes ? Cela implique que l'une de mes camarades soit punie.

Révéler le subterfuge à quelques-unes de mes camarades pour que la coupable soit mise au courant ? Pour m'assurer d'une certaine gratitude…

De quel bord devais-je être ? De la loi ou des hors-la-loi ?

En classe, je me devais d'être toujours sage, docile, respectueuse des règles dans leurs moindres détails. Chaque jour, même deux fois par jour, le matin et en début d'après-midi, nous récitions le chapelet. Religieusement ! Parfois debout, parfois agenouillées sur le plancher de bois, mais toujours immobiles, très droites, les yeux fermés : il ne fallait laisser place à aucune distraction. Généralement, c'était l'institutrice qui récitait la première partie de la prière à laquelle nous répondions toutes, en chœur, par la partie finale :

— Je vous salue, Marie, pleine de grâce, le Seigneur est avec vous, vous êtes bénie entre toutes les femmes et Jésus, le fruit de vos entrailles, est béni…

— Sainte Marie, Mère de Dieu priez pour nous, pécheurs, maintenant et à l'heure de notre mort. Ainsi soit-il.

Comme un couplet et un refrain. Un chapelet : cinq dizaines séparées par un *Notre Père* et un *Gloire soit au Père*, le tout débutant par un *Je crois en Dieu*. Cinq dizaines, c'est long ! Sans bouger, surtout. Un jour, je n'en pouvais plus : j'avais mal aux genoux. Et nous n'en étions qu'à la quatrième dizaine. Quelle horreur ! Ce matin-là, une suppléante remplaçait notre titulaire habituelle. Peut-être ne connaissait-elle pas les règles établies ou, du moins, ne les appliquait-elle pas de manière aussi rigide ? Et si je risquais une petite incartade ?

— Il faut que j'voie où elle regarde, me dis-je.

Je soulève délicatement les paupières, une fente à peine, afin de repérer la position de la religieuse remplaçante. À l'avant, elle regarde vers le crucifix accroché tout au haut du mur. J'en profite alors pour me déhancher légèrement afin de déplacer le poids de mon corps d'un seul côté. Cela me soulage quelque peu. Puis, je change de jambe. Était-ce un outrage au Christ ou une injure à la Vierge ? Je n'en sais rien. Chose certaine, c'était une dérogation aux règles ! Un péché ! À la fin des cinq dizaines, une fois debout et attendant le signal pour nous asseoir, la religieuse me désigne :

— Toi là, comment t'appelles-tu ?

— Jocelyne, ma sœur.

— T'es pas capable de te tenir droite quand on récite le chapelet ?

Je baisse les yeux, sans répondre. Je le sais : je suis coupable. Comment m'a-t-elle vue ? Jouit-elle, comme Dieu son maître, de son omniprésence ? A-t-elle, comme certaines le prétendent, des yeux derrière la tête ? Son apostrophe sèche et cassante devant toutes mes compagnes me fait monter les larmes aux yeux. Et la punition qu'elle m'inflige les en fait descendre : debout, en avant, dos à la classe, le nez rivé sur le tableau noir. Et ce, jusqu'à la récréation, 1 h 20 plus tard. Humiliée, je m'avance en rougissant et chaque pas ajoute des larmes sur mes joues. Tête basse, je tente de dissimuler mon visage. Dans mon cas, cette pénitence se double de la peur d'être aperçue de mon père qui va et vient dans les corridors et ne manque jamais de jeter un coup d'œil par les fenêtres des classes… et particulièrement de la mienne. Pour être certaine de ne pas rencontrer son regard, je me tourne légèrement vers les fenêtres extérieures, espérant, sans vraiment y croire que, de dos, il ne me reconnaîtrait pas. Je crains non seulement son regard, mais celui de toutes les autres religieuses ou institutrices ou secrétaires ou autres élèves qui, âmes charitables comme il ne s'en fait plus, s'empresseront de me dénoncer.

— Monsieur le concierge, votre fille est en pénitence.

Quelle honte ! Sa fille dans le coin ! Quand la récréation sonne, je ne me réfugie pas chez moi pour m'épargner le froid de l'hiver. Qui sait ? Peut-être aura-t-il tout oublié à quatre heures ? Une fois la classe terminée, je lambine avant de revenir à la maison. En vain ! La nouvelle s'est évidemment répandue. Ma mère m'attend. Attend des explications.

— Qu'est-ce que t'as encore fait ?

Cet « encore »… comme si j'étais punie régulièrement ! Sa honte avait fait monter sa colère. Elle m'a fait partager l'une et l'autre. Penaude, j'ai l'impression d'avoir déshonoré le nom des miens. Ce soir-là, je me suis couchée très tôt, pleurant abondamment.

Vivre à l'école, c'était aussi ça : du deux pour un. À la punition en classe s'ajoutait celle à la maison. Cela me fit vieillir très vite, toujours sur la corde raide entre ce que je pouvais dire et ne pas dire, faire et ne pas faire. En somme, je vivais sur deux modes : celui des adultes et celui des enfants. En tant que fille du concierge, j'étais du côté de l'autorité. En tant qu'écolière, j'aurais souhaité n'être que du côté des filles de mon âge.

❧

Le charbonnier

COMMENT a-t-il été intégré à la famille ? Je n'en sais trop rien. Je ne me souviens pas que ce soit moi qui l'aie introduit dans la maison. Ma mère ? Sûrement pas : elle préférait les chiens. Probablement mon père. Pour moi, sans doute. Il savait que j'aimais les chats. Il portait un nom descriptif mais très commun : Noiraud.

Comme je n'avais pas tellement d'amis et que mon frère ne partageait pas mes goûts, Noiraud est vite devenu ma poupée, mon compagnon de jeu, mon ami. Je l'habillais et le promenais dans mon carrosse de poupée comme s'il avait été un véritable bébé. Avec lui, j'inventais des jeux : j'attachais un morceau de papier chiffonné au bout d'une ficelle et il courait pour l'attraper ; derrière une porte, je faisais bouger une paille et le chat, de l'autre côté, tentait de l'immobiliser.

Le jour, il aimait se hisser sur le large rebord des fenêtres et observer ce qui se passait à l'extérieur. C'était de là qu'il me voyait revenir de l'école. Il me reconnaissait sans doute puisque, dès que j'ouvrais la porte, il était là, à tourner autour de moi en miaulant.

L'école Sainte-Véronique était chauffée au charbon. Trois fournaises et une pièce immense où, au début de chaque automne, je ne sais combien de tonnes de charbon y étaient déversées pour l'hiver. Adjacente à notre logis, la « chambre aux fournaises » s'ouvrait sur le carreau au charbon. Tôt le matin et jusque tard en soirée, trois fois par jour l'hiver durant, mon père les remplissait et veillait à ce qu'elles ne s'éteignent pas. À proximité de la porte qui séparait notre logement de cette chambre, la litière de Noiraud.

Une litière que Noiraud n'apprécie pas. Il préfère le carreau au charbon. Il y grimpe et va y faire ses besoins tout en haut, un lieu inaccessible. Il faut attendre que la réserve de charbon soit épuisée pour nettoyer. Les crottes passent ainsi l'hiver dans le charbon. L'odeur devient vite fétide. Une odeur qui s'accentue, de novembre à avril, jusqu'à en être presque insupportable.

— Maudit chat ! Veux-tu m'dire pourquoi y va pisser pis chier là ? Ça pue l'diable. Va falloir qu'on s'en débarrasse. Un vrai charbonnier.

Le surnom lui resta : le charbonnier. Quand Noiraud revenait de son expédition, tout en haut du carreau au charbon, et que je le prenais dans mes bras pour le chouchouter, vous imaginez sans peine la couleur de mes vêtements. Évidemment, ma mère pestait. Même si on le surveillait, il réussissait parfois à tromper notre vigilance et à profiter d'une porte qui, par mégarde, était restée entrouverte. Mon père bougonnait encore :

— J'l'ai encore vu en haut du charbon, ton maudit charbonnier ! J'vais trouver quelqu'un... on va l'donner.

— Non, papa ! C'est mon chat. J'veux pas qu'tu l'donnes !

— C'est pas toé qui sens sa marde... Moé, j'suis ben tanné !

Ce n'était pas la première fois que mon père proférait une telle menace. Cette fois-ci cependant, son ton impérieux me la fit prendre au sérieux. Pour rien au monde, je ne voulais perdre « mon » chat. Pour l'amadouer, je devais trouver une solution.

Un samedi matin, à l'insu de mes parents, je me rends dans le carreau au charbon, munie d'une petite pelle et d'un sac. Avec une naïveté portée par l'amour, je crois pouvoir me hisser tout en haut pour ramasser les crottes. Comme je ne suis pas lourde, je réussis à atteindre le sommet, malgré quelques glissements de terrain... Mais je ne vois rien. La faible lueur de l'unique lumière ne m'éclaire pas suffisamment pour que je puisse repérer les excréments. Je m'avance encore un peu plus : catastrophe ! Le charbon s'écroule et je me sens emportée... Heureusement, je ne suis pas complètement enterrée : ma tête reste à l'air libre. Jusque-là, je m'étais sentie brave. Mais maintenant, à moitié ensevelie, dans le noir le plus complet, je me mets à avoir peur. Je n'ose bouger de crainte que le moindre mouvement ne fasse encore débouler le charbon. Le temps passe... et passe...

Combien de temps je suis restée là ? Au moins une heure qui m'a paru des jours… Finalement, j'entends mon père :

— Jocelyne, t'es où ?

J'aurais voulu hurler : ICI, ICI, ICI. Je ne peux qu'articuler faiblement : « Icitte ». Comme si je craignais qu'une voix trop forte ne provoque une avalanche.

— Où ça, icitte ?

— Dans le *carré* au charbon… en haut…

— En haut, mais qu'est-ce que tu fais là ?

— Ben, j'voulais ramasser la marde du chat parce que j'veux pas qu'tu l'donnes.

Comment m'a-t-il sortie de mon trou ? Je ne saurais l'expliquer. L'important, c'est qu'il a réussi. J'étais noire de suie… et persuadée d'être punie sévèrement. Il n'en fut rien : ils étaient si contents de m'avoir retrouvée et d'avoir pu me libérer à temps.

On garda Charbonnier quand même tout l'hiver et, le printemps et l'été venus, les inconvénients du chat furent presque oubliés.

Un peu plus tard, le chat a encore failli m'attirer des ennuis. Alors que je suis en classe, j'entends miauler. Je reconnais son cri. Je sais que c'est lui. Suis-je la seule à l'entendre ? Personne ne réagit. Puis, les élèves se mettent à sourire discrètement, à se faire des clins d'œil. Elles viennent de comprendre qu'un intrus est dans l'école, juste de l'autre côté de la porte. Voyant les élèves s'agiter, l'institutrice qui, préoccupée par sa leçon, n'a rien entendu, nous interroge :

— Qu'est-ce qui se passe ?

— Ben… j'pense qu'y a un chat dans le corridor ! répond une des élèves.

À ces mots, toutes éclatent de rire… sauf moi. À peine ouvre-t-elle la porte que le chat entre dans la classe, la traverse fièrement, comme en parade, et vient se frotter contre mes jambes. J'ai peur de dire que c'est « mon » chat. Comme toujours, j'ai peur qu'on me gronde ! Qu'on m'accuse de l'avoir attiré ! Je le laisse frôler mes jambes, sans réagir. Déçu, il saute prestement, se juche entre deux fougères sur le rebord de la fenêtre et s'assoit. Comme si de rien n'était. Il nous regarde et miaule comme s'il disait : « Bonjour, me voilà. » Puis, nous dédaignant, il regarde par la fenêtre. « Vous pouvez continuer. Ne vous occupez pas de moi ! »

Comment s'est-il retrouvé là ? M'a-t-il suivie de la cour de récréation à la classe, échappant au regard de tous ? A-t-il profité d'une porte ouverte de notre logement pour s'infiltrer dans l'école ? Mais comment a-t-il réussi à trouver « ma » classe ? Le flair ? Quel flair pour distinguer mon odeur parmi celles des quelque cinq cents autres élèves de l'école !

L'institutrice semble désemparée. Va-t-elle lui permettre de rester ou l'expulser ? Les élèves s'agitent de plus en plus. Vite, elle comprend que le chat est plus intéressant qu'elle. Jamais elle ne pourra poursuivre son enseignement en sa présence.

— Jocelyne, va chercher ton père pour qu'il s'en occupe.

En rougissant, je confesse alors que c'est mon chat et elle m'autorise à le ramener chez moi.

L'été suivant, c'est moi qui, paradoxalement et sans le vouloir, allais provoquer l'exil de Noiraud, le charbonnier.

— Regarde maman, j'ai comme un rond dans la tête où y a pas de cheveux.

Ma mère m'examine la tête et constate, en effet, qu'à deux ou trois endroits, je suis chauve comme « une fesse de bébé », selon son expression. Trois petites tonsures.

— La pelade ! s'écrie-t-elle avec effroi.

À la mine déconfite de ma mère, je crois que j'ai la gale, la lèpre ou la peste !

— La pelade !

Elle téléphone à sa mère, à sa demi-sœur, s'informe auprès de l'infirmière de l'école. Le verdict tombe :

— C'est le Charbonnier. C'est lui qui t'a donné ça !

En était-elle vraiment convaincue ? Était-ce l'excuse rêvée pour se débarrasser du chat ? Le chat est devenu *persona non grata* et, en moins d'une semaine, sans tenir compte de mes supplications, mon père lui avait trouvé une famille d'adoption. J'aurais préféré devenir chauve plutôt que de perdre mon chat.

Pour me consoler, on m'a promis un chien !

❧

Le fou du fond de cour

E N face de l'école, s'aligne une série de triplex en ran-gées. Parfois, de la rue, un long passage sombre les sépare, débouche sur un espace clos, un fond de cour : un vieux hangar, une maison tordue, une galerie chancelante ; des couleurs si usées que tout paraît gris, un gris sale qui ne laisse rien soupçonner des couleurs d'origine. Dans le quartier, on l'appelle la maison du fou. Du fou du fond de cour. Chaque jour, du moins quand le temps le permet, en émerge un homme assez grand et maigre, poussant une vieille brouette qui se déhanche dans un cri strident et continu.

De l'autre côté de la rue, appuyée à la fenêtre du salon, je l'observe. Voûté, les cheveux tombant sur son visage sans qu'il s'en soucie le moindrement, vêtu d'un *overall* marine à bretelles et d'un chandail à manches courtes aux couleurs javellisées, il porte des bottes trop grandes et trop lourdes pour ses pieds qui glissent sur le trottoir. La tête penchée, il semble très fatigué. Invariablement, dès sa sortie du passage, il tourne à droite et se dirige vers la rue Rachel. Où va-t-il ? Que traîne-t-il dans sa brouette ?

Cela m'intrigue. J'interroge ma mère. Sa réponse me pétrifie :

— Que j'te voie jamais t'approcher de lui! C'est un fou!

Si je m'attendais à ça! Un fou! J'avais vu un fou! C'est rare de voir un fou se promener avec une brouette. À la fois intriguée et effrayée, je décide de l'épier, à l'insu de ma mère, cachée derrière les tentures du salon. Ainsi, ni elle ni lui ne peuvent m'apercevoir. Toujours la même routine : mon guet ne m'apprend rien de plus.

Ma curiosité est plus forte que ma peur et, un bon matin, je me décide à le suivre.

— Maman, je m'en vais faire du patin à roulettes avec Fidèle.

Fidèle, c'est ma chienne que les méchantes langues surnomment « Saucisse » parce qu'elle est toute en longueur et basse sur pattes.

— O.K. Mais ne traverse pas la rue : c'est dangereux.

— Ben oui, j'le sais.

Ma mère appréhende les accidents et les maladies. Ce sont ses terreurs. Bien que consciente des bienfaits des jeux extérieurs, elle me préfère assise à lire. Ainsi, elle sait où je suis, ce que je fais et, surtout, que je cours moins de risques dans le salon que dans la rue. Elle m'interdit de traverser les rues, ce qui me prive de plusieurs amies qui, parfois, demeurent pourtant juste en face. Je dois attendre qu'elles aient envie de venir jouer avec moi car, moi, mon territoire est bien délimité : le quadrilatère formé par les rues Parthenais, Marie-Anne, Messier et Rachel.

Comme il fait beau et chaud, je soupçonne que je le verrai bientôt surgir de son sombre tunnel. Assise sur la première marche du long escalier qui mène au deuxième étage de l'école, j'enfile mes patins. Fidèle en laisse, je vais et viens plusieurs fois sur le trottoir avant de distinguer, en clair-obscur, son ombre qui s'avance lourdement. Comme si de rien n'était, je me mets à le suivre en rétrécissant mes retours et en prolongeant mes allers au fur et à mesure de sa progression. Il traverse la rue Rachel, oblique vers la gauche. J'emprunte la même rue mais sans franchir le périmètre de sécurité établi par ma mère. En atteignant la rue Messier, il pique dans le champ en direction de la rue Sherbrooke. C'est trop loin ! Je me résigne à rentrer bredouille à la maison.

Le mystère grandissait. Où allait-il donc ? Je le voyais souvent partir, mais rarement revenir. Pourtant, me disais-je, il devait bien revenir puisqu'il repartait. Je ne pouvais quand même pas faire la vigie vingt-quatre heures par jour. D'autant plus que ma mère ne devait pas suspecter mon intérêt pour le fou. Cela prit donc du temps avant de le voir revenir. C'était vers la fin d'un après-midi, autour de quatre heures, juste avant *Bobino*. J'avais l'impression que chacun de ses pas l'enfonçait dans le sol. Lourdement. Pesamment. Péniblement, il poussait sa brouette. Il semblait exténué. Mais, comme je ne voulais pas rater le début de *Bobino*, j'ai préféré abandonner le fou à sa promenade.

Assise à deux pieds du téléviseur, je partage pendant trente minutes les aventures de Bobinette, de son grand frère et de leur ami Télécino. Puis, à 4 h 30, c'est la *Boîte à surprises* avec la voix rauque et envoûtante de Fanfreluche, le cache-œil du Pirate ma Boule, la longue cape de Michel le Magicien. Le fou du fond de cour, subitement, n'existe plus. Je suis dans un autre univers. Un ailleurs magique que je retrouve, une fois les émissions terminées, seule sur ma balançoire en volant le plus haut possible et en me renversant la tête à la descente, question de ne voir que le ciel au-dessus de moi et de me procurer un léger étourdissement qui favorise mon adhésion complète à ce nouveau monde de l'image. Les personnages ne sont plus devant moi, mais en moi.

À l'aller, j'entrais dans le grand livre de Fanfreluche. Au retour, je me perdais dans les pages. Plus la balançoire volait haut, plus mon imagination me transportait loin, dans ces pays merveilleux inconnus des humains normaux. Ma balançoire, c'était mon moyen de transport vers le pays de l'imaginaire.

— Jocelyne, viens souper !

Brusquement, le réel me rattrape. À la table, personne ne se doute que je reviens d'un autre monde dont personne ne possède le visa d'entrée.

Les aléas de la vie quotidienne ont fait que je n'en ai pas appris davantage, cet été-là, sur le fou du fond de cour. En septembre, l'école a recommencé et, durant toute l'année, je ne l'ai pas revu. Était-ce parce que je partais trop tôt pour l'école ? Et en revenais trop tard ? Parce que j'avais d'autres préoccupations ? Ou tout simplement parce que l'hiver, il ne sortait pas ? Je ne saurais dire.

Aux vacances suivantes, il resurgit. Identique à lui-même avec sa brouette et son pas pesant. Mon intérêt se ravive et je me promets que, cet été-là, je percerai son mystère. Plus vieille, j'ai plus d'audace et crains moins de transgresser les interdictions maternelles. Je le prends donc en filature de loin, de très loin. Il emprunte le parcours habituel et s'engage dans le champ. L'achalandage de la rue, ma frousse de me faire prendre et la prudence extrême avec laquelle je traverse la rue Rachel font que je le perds de vue. J'ai beau regarder de tous les côtés, peine perdue : il a disparu. Sachant qu'il se dirige généralement vers la rue Sherbrooke, je prends, à travers champs, la même direction. Plus j'avance, plus les herbes sont hautes. Je marche lentement, précautionneusement. Le terrain est marécageux. Malgré ma hardiesse apparente, je ne suis pas très brave. Ce que je crains, ce n'est pas tellement le fou du fond de cour, mais ma culpabilité. Je désobéissais ! À de multiples reprises, je me retourne et balaie du regard le chemin parcouru. Quelqu'un m'a-t-il vue ? En même temps, j'essaie de déceler un indice qui me permettrait de retracer le fou. Soudain, il se dresse devant moi en criant :

— Oula, Oula, Oula !

Je réponds à son cri par un hurlement, reste un instant figée, puis, surprise et apeurée, je déguerpis. Je regarde à peine avant de traverser la rue et une auto freine brusquement pour m'éviter. Je cours, je cours, je cours. Je pleure presque. En arrivant près de la maison, je me cache sous l'escalier, question de reprendre mon souffle et mon calme pour que ma mère ne se doute de rien. Je me réfugie ensuite sur ma balançoire, volant le plus haut possible, m'étourdissant en projetant ma tête à l'envers à la descente. Comme un exorcisme. Ainsi, je rejoue la scène, au ralenti : je le revois, le réentends, je me revois, me réentends.

Aller... S'était-il caché pour me faire peur ?

Retour... Savait-il que je le suivais ?

Aller... Voulait-il me surprendre ?

Retour... Était-ce moi qui l'avais surpris ?

Aller... Pourquoi ce cri qui m'avait terrorisée ?

— Jocelyne, le souper est prêt.

Cette nuit-là, je le revois. Dans un horrible cauchemar. Il se dresse devant moi, me saisit par les poignets, m'immobilise. Muette de peur, je ne peux crier. Je regarde ses grands yeux exorbités et sa bouche béate qui semble rire... Un rire démoniaque qui ne provient pas de sa bouche, mais d'ailleurs. Un rire qui s'effondre en écrasant l'espace, qui m'enveloppe complètement. Un rire fort qui me projette par terre, dans les hautes herbes étouffantes de la savane. Personne ne peut nous apercevoir. Ce n'est plus la peur, mais la terreur qui m'empoigne. Je me vois crier, crier très fort. Hurler ! Mais je ne m'entends pas. Rien que son rire, diabolique. Il se penche au-dessus de moi, s'approche tant et si bien que je ne vois plus que son visage, en gros plan.

— Allons, allons, qu'est-ce qu'il y a ?

Je sens ses mains sur moi. Je me débats. Je veux m'échapper, mais je n'ai plus de force...

— Jocelyne, réveille-toi !

Ma mère est là, près de moi, venue à mon secours. Penchée au-dessus de mon lit, elle me secoue légèrement pour me réveiller.

— Qu'est-ce qu'il y a ? Réveille-toi... tu as fait un mauvais rêve. Réveille-toi pour le chasser.

Je mets quelques secondes à repérer où je suis : en toute sécurité, dans mon lit. Un cauchemar ! Maman me tapote légèrement les joues, le front, les épaules :

— Ça va mieux ? Tu veux me le raconter ?

Je lui souris et fais non de la tête :

— Je m'en souviens plus, mais c'était vraiment épeurant !

Il fallait bien que je mente !

Dorénavant, j'éviterais le fou. L'été passa... puis l'automne et l'hiver durant lesquels le fou disparaissait... sauf dans mes cauchemars où il me hanta encore une ou deux fois... puis disparut.

À vrai dire, je l'ai presque oublié. Alors qu'auparavant, j'avais tendance à m'isoler comme une huître, cette année-là, ma coquille s'est ouverte et j'ai développé un bon réseau d'amies. La marelle, les quatre coins, le ballon chasseur, la balle au mur occupaient la période entre la fin de l'école et le souper. Je trompais même *Bobino* ! Mes amours avaient changé de camp et je préférais maintenant *Ivanhoë* et *Robin des Bois* aux dessins animés. J'avais tant et si bien occulté mon fou que c'est seulement vers la mi-juillet qu'il m'est revenu en mémoire et que je m'en suis inquiétée.

— Mireille, savais-tu qu'il y a un fou qui vit dans le fond de cour?

— Un fou? Comment tu sais que c'est un fou?

— Ben, ma mère me l'a dit. Elle veut même pas que j'm'en approche. Elle dit qu'on sait pas c'qui peut y passer par la tête. Pis, y a un comportement bizarre.

Et je lui raconte alors mes filatures et les fameux «Oula, Oula, Oula!» qui m'avaient effrayée. Mireille et moi convenons de reprendre le guet : c'est un secret.

— Juré, craché?

— Juré, craché! répète Mireille.

On croise les doigts en signe d'assentiment.

Dès le lendemain, tôt levées, on entreprend notre surveillance tout en sautant à la corde, en face du passage du fond de cour. On a attendu jusqu'à 9 h 30. Vainement! Chou blanc également le lendemain. Devant ces résultats décevants, Mireille se retire de l'aventure. Aurais-je la persévérance de continuer seule? J'avoue que mon intérêt s'estompe. N'est-ce pas idiot de gâcher ses vacances à demeurer les yeux rivés sur un étroit passage dans le but d'en voir sortir un fou? Je me sens un peu ridicule. N'ai-je pas mieux à faire? Surtout que, étant plus vieille, j'ai maintenant le droit de traverser la rue et d'aller au parc Fullum. Je dois tirer profit de cette nouvelle liberté. Fi du fou!

Une dizaine de jours plus tard, le fou se manifeste à nouveau. Revenant du parc, je m'apprête à rentrer à la maison quand j'entends, d'assez loin, mais distinctement :

« Oula, Oula, Oula ! ». Me souvenant de ma terreur de
l'année précédente, je me retourne vivement et l'aperçois, sur le trottoir d'en face, un peu en biais. Me voyant
le regarder, il s'arrête, dépose sa brouette, et agite ses
grands bras nus et bronzés. Je distingue un large sourire
sur sa face barbouillée. Surprise, je reste figée un court
moment et, encore craintive, je ne me résous pas à aller
à sa rencontre. J'entre chez moi et je cours à mon poste
d'observation, derrière la tenture. Il reprend sa brouette
et s'enfonce dans le sombre passage. Cette nuit-là, le fou
s'infiltre une nouvelle fois dans ma chambre… dans mon
rêve… ce n'était plus un cauchemar. Dans ses grands yeux
exorbités, je lis une certaine tristesse alors que sa bouche
me sourit béatement. Il s'avance. Je ne bouge pas. Arrivé à
ma hauteur, il dépose sa brouette, en fait le tour, s'approche. Il prend mes mains et m'entraîne dans une ronde. On
tourne, on tournoie, on virevolte… la vitesse des mouvements s'amplifie, nous soulève, nous enivre. Au fur et
à mesure de notre ascension, la danse ralentit… comme
au cinéma. Propulsés par le vent, nos élans gagnent en
légèreté, en grâce, en élégance… toujours plus haut et
bientôt, nous valsons au milieu des gros nuages blancs du
ciel bleu, moi vêtue d'une longue robe lilas à traîne, lui
portant une ample tunique retombant sur des pantalons
tout aussi larges de couleur iris, pendant qu'une musique
d'une grande douceur, presque divine, accompagne les
mouvements harmonieux de nos corps, nous berce, nous
enveloppe d'une puissante béatitude et je nous perds de
vue alors que nous nous fondons dans un immense flocon

de neige. Je me réveille en souriant et en pensant : « Est-ce que je rêve ? »

Je me réveille et garde les yeux fermés pour prolonger cet état de bonheur parfait, si fort, si présent... l'illusion de la réalité. À moins que ce ne soit la réalité ! J'ouvre les yeux, redécouvre ma chambre, terne et grise. Je comprends maintenant que je n'aurai plus jamais peur de cet homme à la brouette.

Le lendemain, ma décision est prise : coûte que coûte, je veux le rencontrer. Lui parler même. Que Mireille le veuille ou non, je réserve ma journée au fou ! Décision irrévocable. Comme ma mère n'avait toujours pas levé l'interdiction, difficile de provoquer cette rencontre au vu et au su des gens du voisinage immédiat. Je dois l'accoster plus loin. Durant plusieurs jours, mon attente est vaine. Puis, quand était-ce ? En août ? En septembre ? L'année suivante ? C'est vague. Mais je l'ai rencontré. À l'improviste ! Et, si j'ai oublié la date, je n'en ai oublié aucun détail.

Un ciel nuageux, une atmosphère chaude et humide, fréquente au cours des étés montréalais : ça sent l'orage ! Je n'ose trop m'éloigner et je m'ennuie. La plupart de mes amies ont quitté la ville, qui en voyage, qui dans un chalet, qui dans un camp de vacances. Chez moi, les vacances se passaient généralement à balconville, comme disait mon père, même si, en fait, on n'avait pas de balcon. Je passe le temps en me *balancignant*, comme je disais dans le temps. Puis, l'orage éclate. Un de ces orages violents qui ressuscite les flaques d'eau des trottoirs, qui tombe dru et fort, qui s'apaise aussi soudainement et dont la chaleur fait disparaître les traces en quelques heures... Les gros nuages gris qui avaient assombri et abaissé le ciel font place au soleil et à un air plus frais. On respire mieux et cela donne le goût de sortir. D'autant plus que toute la journée, je n'ai fait que rôder autour de l'école en m'ennuyant. La bougeotte me prend et, accompagnée de ma chienne Fidèle, j'erre dans le quartier.

Sans m'y attendre, j'entends une fois de plus le cri qui m'était devenu familier :

— Oula, Oula, Oula !

Et il apparaît ! Dans le champ, rue Fullum, entre Rachel et Sherbrooke. Sa brouette un peu à l'écart, derrière lui. Comme la dernière fois, quand il me voit le regarder, il me fait de grands signes avec ses longs bras. Cette fois, je réponds à ses saluts en lui envoyant la main avec... une certaine retenue. Je traverse et m'arrête à la frontière entre le trottoir et le champ. Ma chienne tire sur sa laisse, voulant sentir les odeurs exotiques de ce lieu nouveau pour elle. Le fou se retourne, court à petits pas vers sa brouette, la soulève et vient à ma rencontre.

Un étau dans ma poitrine. Signe que je n'ai pas vaincu totalement ma crainte. Je recule de quelques pas. Il s'arrête aussitôt, dépose sa brouette. L'excitation se lit sur son visage. Il sourit à grande bouche, me fait signe d'approcher. Il sent sûrement ma réticence. Sans bouger, il se penche vers sa brouette et en retire un bocal qu'il exhibe avec fierté. Son visage respire le bonheur. Ce regard si plein de joie a raison de mes dernières hésitations. Il se rapproche, me tend le bocal. Il y avait une chenille, une grosse chenille orangée, zébrée de noir en train d'escalader le mur de sa prison. Il me confie le bocal et retourne prendre sa brouette. C'est alors seulement que j'ai pu en voir le contenu. Des dizaines de pots de toutes grandeurs, des roches, des cailloux, des morceaux de ferraille, des enjoliveurs de roue, des bouteilles, des bouts de corde et de bois, une grosse chaîne... Un à un, il me tend ses bocaux. Remplis de fourmis ! De mouches. D'abeilles ou de taons ou de guêpes ! Des vers ! Et des papillons... des dizaines de papillons, de toutes les couleurs. Son excitation est palpable dans ses gestes désordonnés et saccadés, et surtout, dans ses yeux... ses yeux allumés. Un feu de forêt dans un regard ! Bien plus qu'un tas d'insectes... Je sens son désir de me faire partager son amour pour ses trouvailles... pourtant dérisoires. Comme des amis qu'il me présenterait pour que je les aime. Ensuite, des roches brunes, grises, jaunâtres, blanchâtres... comme s'il étalait des émeraudes, des rubis, des améthystes. Tout se transforme sous sa main : un enjoliveur de roue devient un bouclier, une chaîne, un collier.

Combien de temps suis-je restée là ? Je n'en ai aucune idée. C'est ma chienne qui, en tirant fortement sur sa laisse, me ramène à la réalité. Souriant au fou, je le salue et m'apprête à partir. Il me fait signe d'attendre. S'emparant d'un bout de ficelle, il le noue autour de mon poignet puis, se reculant, il l'admire. À voir l'éclat de ses yeux, il venait de m'offrir un bracelet en or dix-huit carats.

Le fou ne parle pas. Il émet des sons inarticulés, du charabia aurait dit ma mère. Pourtant, je le comprends. Il a fait bien plus que me montrer des cordes, des insectes : il a étalé ses biens, ses trésors, sa vie.

Les jours suivants, je l'ai revu et l'ai même accompagné dans ses excursions. Ce qui me plaisait avant tout, c'était d'attraper des papillons. Le fou, toujours sans dire un mot, m'a montré que les chenilles, qui me répugnaient, formaient des cocons qui se métamorphosaient en beaux papillons. Il éprouvait une joie intense à ouvrir le bocal et à les regarder s'envoler, presque avec adulation. Sa joie pénétrait tous les pores de ma peau. Bouts d'écorce, feuilles, nids ou œufs d'oiseaux, cailloux... Il me révélait une ville qui, bien qu'à quelques rues de chez moi, m'était inconnue. Une ville nouvelle, remplie de secrets simples et naturels. Comme si j'accédais à un autre monde. Je me plaisais en sa compagnie et provoquais les occasions de partir, avec lui, à la découverte de trésors mystérieux.

Malheureusement, mon père nous aperçut un jour, courant et criant dans le champ. Il m'appela et je sentis au ton dur et ferme de sa voix qu'il n'était pas heureux du tout de me surprendre en si mauvaise compagnie. À regret, je fis signe à mon ami que je devais le quitter. Il comprit. Il resta là, planté dans le champ à me regarder partir. Son visage avait perdu toute expressivité. Je le sentais triste, déçu. J'eus droit à de vertes réprimandes autant de mon père que de ma mère, et on me fit promettre, sous peine de ne plus avoir droit d'aller jouer sur le trottoir et d'être confinée à la cour d'école, de ne plus chercher à le revoir. J'eus beau tenté de les persuader qu'il n'était pas méchant, qu'il n'y avait aucun danger. Rien à faire. Les préjugés ont la vie dure et ils sont bien injustes. À contrecœur, je dus promettre. Mais combien j'avais honte ! Honte d'avoir cédé ! Honte de ma défection ! Je ne comprenais pas les motivations de mes parents. Avaient-ils peur de sa marginalité ?

Ma trahison me fit éviter le fou : je ne voulais pas avoir à supporter son regard. Si je l'apercevais au loin, je m'esquivais rapidement. S'il tentait d'attirer mon attention avec son cri et en battant des bras, je répondais très vite à son salut et fuyais.

L'été suivant, il avait disparu. Je ne l'ai plus jamais revu. Je m'informai auprès des voisins, mais on ne semblait guère se préoccuper de lui. Un jour, quelqu'un m'apprit que sa mère était morte vers le mois de février... on avait dû le «placer».

Ce jour-là, je me cachai dans ma chambre pour pleurer une dernière fois mon infamie !

❧

La police d'assurance

— Si j'avais appris autant d'anglais que j'ai appris de catéchisme, je ne serais pas concierge d'école.

Mon père répétait souvent cette phrase. Je n'ai jamais su s'il était croyant ou pas. Chose certaine, il n'aimait pas l'Église. Il a souvent laissé sous-entendre qu'il avait connu des prêtres et des frères aux « mains baladeuses ». Je ne savais pas vraiment ce que cela signifiait ; une réalité dont personne ne parlait. Ma mère, par contre, était croyante ; le dimanche, c'est avec elle qu'on allait à la messe. Pour expliquer l'absence de mon père, elle nous disait qu'il allait à la « messe des pompiers ».

Environ une fois par mois, toute la classe se rendait à l'église pour la confession. Mais avant, il fallait se préparer. L'institutrice nous invitait à fermer les yeux, à joindre les mains et à nous recueillir. Puis, elle débitait une longue liste de péchés que nous aurions pu commettre au cours du mois. Elle passait en revue les dix commandements de Dieu :

— Avez-vous adoré un autre Dieu... ?

— Avez-vous employé le nom de Dieu à des fins autres que la prière ou la vénération ?

— Avez-vous manqué à vos obligations de sanctifier Dieu le jour du Seigneur ?

— Avez-vous manqué de respect à vos parents ?

— Avez-vous fait des médisances ou des calomnies ?

Pour certains, la réponse était facile. Sûrement, je devais avoir désobéi à mes parents. Sûrement, je devais avoir proféré des mensonges. Mais, combien de fois ? Une, deux, trois… Si je dis « une », le prêtre va croire que je mens. Trois, est-ce assez pour être crédible ? Sans que j'aie le temps de me décider, l'énumération continuait. La difficulté augmentait :

— Les pensées impures…

— L'œuvre de chair…

De quoi s'agissait-il ? Je n'en avais vraiment aucune idée. L'institutrice passait ensuite en revue les sept péchés capitaux :

— Avez-vous péché par orgueil, envie, gourmandise, colère, paresse…

Ces mots, j'en connaissais le sens. Les exemples affluaient. Oui, j'ai péché…

La préparation terminée, nous formions les rangs et nous marchions jusqu'à l'église. C'était la partie la plus agréable : pas de dictée, pas de calcul, pas de géographie…, mais une balade à pied au beau milieu de l'après-midi. Qui plus est, ce jour-là, nous avions congé de devoirs.

Toutefois, il restait une étape pénible à franchir : avouer ses péchés au prêtre dissimulé derrière la grille du confessionnal. Il fallait parler tout bas, chuchoter, pour éviter que des oreilles indiscrètes entendent nos révélations. Parfois, le père nous sermonnait. La plupart du temps, il nous absolvait, nous bénissait et ajoutait :

— Pour ta pénitence, tu diras trois « Je vous salue Marie ».

Ouf ! Je m'en tire bien ! Ç'aurait pu être pire. Mes péchés ne devaient pas être si terribles, après tout.

C'était une époque de *pieuserie*. La religion, un amalgame de superstitions. Une police d'assurance. Dix *Je vous salue Marie* pour une bonne note en dictée. Un chapelet pour une poupée, à ma fête. Un rosaire pour être première de classe. Neuf messes en ligne, le premier vendredi de chaque mois, pour me garantir une place au ciel.

Pourtant, j'y croyais et me serais battue pour défendre ma foi. C'était d'ailleurs l'époque de la guerre froide entre l'Occident et l'U.R.S.S. Quand j'entendais un avion dans le ciel — ils étaient plus rares que maintenant —, j'étais persuadée que les méchants communistes nous attaquaient. Ils entraient dans la classe, brisaient les statues, les piétinaient... Courageusement, je refusais d'abjurer ma foi. Et je mourais, martyre.

Être première en religion, c'était mieux vu qu'être première en français ou en mathématiques. Le catéchisme, je le savais par cœur. Je fus souvent première en religion. J'aurais même pu dire que telle question portait tel numéro, qu'elle se situait au bas d'une page, à droite.

— Où est Dieu ?

— Dieu est partout.

— Pourquoi ne voyons-nous pas Dieu ?

— Parce que Dieu est un pur esprit.

— Combien y a-t-il de personnes en Dieu ?

— Il y a trois personnes en Dieu : le Père, le Fils et le Saint-Esprit.

Je me remémore facilement certaines des questions. Au mois de mai, il y avait un grand concours de religion. Chaque classe désignait une championne. Puis, parmi les lauréates des classes d'un même niveau, on déterminait une autre championne. La championne des classes de 7e année serait la Reine du catéchisme... un rang envié par toutes. Les autres étaient ses sujettes. Lors de la procession de la Fête-Dieu, toutes ces gagnantes faisaient des anges et suivaient immédiatement le Saint Sacrement. Quand la longue marche dans les rues de la paroisse était terminée, les anges et leur Reine trônaient sur les marches du reposoir.

Une fois, une seule, je fus un ange. Avec des ailes dans le dos. Et une belle robe blanche. Je me demande même si ce n'était pas ma robe de première communion. Comme j'étais fière ! Et ma mère aussi ! À ma grande déception, mon père, lui, s'était contenté de rire de mon accoutrement !

❧

Les arriérées

Au troisième étage de l'école, juste après les escaliers, une classe pas comme les autres ! Les jeunes filles qui y étudient ne prennent pas les rangs avec les autres dans la cour. Entrent-elles avant ou après nous ? Personne ne le sait vraiment. De même, leur horaire diffère du nôtre de telle sorte qu'on ne les voit sortir ni le midi ni en fin d'après-midi. Alors que les fenêtres des portes de toutes les autres classes sont transparentes, celles de cette classe sont opaques. Impossible d'écornifler ! Pourtant, quand on passe, on entend parler et rire. S'il y a des messages à porter d'une classe à l'autre, jamais on ne frappe à cette porte. Interdit ! Toutes sortes de rumeurs circulent.

Des têtes d'eau ! Des enfants dont le cerveau est rempli d'eau. Qui ne peuvent donc pas réfléchir ! Que l'on cache parce qu'ils sont laids à voir et qu'on ne veut pas effrayer les autres.

Des têtes fortes ! Des délinquantes dont personne ne venait à bout... ni leurs parents, ni même la police. Que l'on isole pour éviter qu'elles ne nous corrompent.

De futures filles mères ! Des femmes enceintes que l'on cache : morale oblige.

Des prisonnières qui, durant le jour, quittaient leur cellule pour suivre une formation spéciale leur permettant de se réhabiliter.

Les explications ne manquaient pas, des plus plausibles aux plus fantaisistes. Autour de la sixième année, mes compagnes et moi sommes devenues plus conscientes du mystère qui entourait cette classe. Me sachant fille du concierge, elles se sont mises à me harceler pour je questionne mon père.

— Allez, Jocelyne, demande à ton père… Qu'est-ce qu'on fait dans cette classe ?

— La fin de semaine, y es-tu déjà entrée ? T'as jamais essayé ? T'es vraiment pas curieuse ! Moi, ça fait longtemps que j'y aurais mis le nez.

Incitée par mes compagnes, j'interroge mon père.

— C'est la classe des arriérées.

— Ça veut dire quoi au juste, des arriérées ?

— C'est des filles qui ont de la misère à comprendre les matières ordinaires ; alors, elles apprennent autre chose que le calcul, le français…

— Comme des niochonnes ?

— On peut les appeler comme ça, si tu veux, répond mon père un sourire au coin des lèvres.

Comme j'ai de la difficulté en mathématiques et que ma moyenne frôle souvent la note de passage, je me demande si l'on peut être arriérée juste dans une matière et pas dans les autres. Est-ce qu'il est possible qu'on me place dans cette classe ? Je perdrais toutes mes amies. Je serais à part de tout le monde.

— Papa, moé aussi je suis en arrière des autres en mathématiques, est-ce que je suis arriérée ?

Mon père me sourit, me tapote le haut de la tête :

— Mais non, voyons ! T'es pas arriérée pour ça !

Comme la directrice le fait demander pour une urgence, cela met fin à notre conversation qui, en fait, m'a troublée plus qu'éclairée. Je reprends alors ma série de questions avec ma mère. Elle est en train de préparer le souper. Je prends l'économe et me mets à éplucher des carottes pendant qu'elle pèle les patates.

— Maman, est-ce que je pourrais être mise dans la classe des arriérées parce que j'suis pas bonne en calcul ?

— Quelle idée !

— Mais papa m'a dit qu'on est arriéré quand on ne peut pas suivre le programme régulier. Et moi, je comprends rien en mathématiques.

— Ça ne fait pas de toi une arriérée. Elles, elles ne peuvent suivre aucun cours régulier.

— Mais alors qu'est-ce qu'elles font dans leur classe ?

— Elles font des travaux manuels.

— Comme quoi ?

— Du tricot, de la couture, de la broderie… et elles apprennent l'essentiel du calcul et du français pour se débrouiller dans la vie. Elles font de très belles choses, tu sais. Un bon samedi, quand personne sera là, on ira voir dans leur classe. Tu verras les belles choses qu'elles font.

Ouf ! Je suis rassurée.

Wow ! Je vais entrer dans leur classe.

Quelques jours plus tard, quand je rentre de l'école, ma mère parle avec une religieuse.

— Jocelyne, viens ici. C'est sœur Marcel-Émond ; c'est elle qui enseigne dans la classe spéciale.

Je note qu'elle n'a pas dit « la classe des arriérées ». Un mot à éviter ?

Intimidée, je m'approche.

— Bonjour, ma sœur.

— Bonjour, Jocelyne. Ta mère m'a dit que tu veux savoir ce qu'on fait dans notre classe ? Si tu veux, tu peux venir voir. Ça te tente ?

Ma mère m'encourage d'un hochement de tête.

— Oui, ma sœur.

Et je la suis jusqu'à sa classe au troisième étage. Là, je suis vraiment stupéfaite.

— Mais c'est pas une vraie classe ! Y a pas d'pupitres, pas d'estrades, pas de tableaux noirs.

Sœur Marcel-Émond rit de ma réaction : elle y est habituée.

— Non, pas de pupitres, mais regarde, il y a des tables pour tailler des robes, des machines à coudre pour les assembler, des machines à tricoter, des métiers à tisser, des mannequins…

— Des mannequins ? À quoi ça sert ?

— À faire les ajustements pour les robes.

Mes yeux ne sont pas assez grands pour tout voir. L'une des machines attire mon attention : une machine à tricoter des queues. Chez moi, ma mère m'en a confectionné une

70

avec quatre petits clous plantés sur un rouleau de fil vide. J'adore faire des queues avec de la laine ou de la corde. Maman les coud ensuite pour les utiliser comme sous-plat ou tapis... quand elles sont très très longues. En fait, les miennes ne servent que de sous-plats ou de sous-verres. La patience m'a toujours manqué. Mais ici, ô merveille ! une machine à queues ! Il suffit d'installer le fil et de tourner une manivelle et la queue s'allonge ; on peut même mettre deux ou trois fils à la fois. Pour augmenter la production, il suffit de tourner plus vite. Je n'en reviens pas : il existe des machines à queue et à tricoter. J'aurais pu rester des heures à tricoter, mais la sœur me fait comprendre que je ne dois pas trop avancer le travail de ses élèves. Elle me montre ensuite des robes qu'elles viennent de terminer, des taies d'oreiller brodées et même de petits objets en bois qu'elles avaient sculptés.

— Merci, merci ma sœur. Je suis bien contente d'avoir vu tout ça.

Je dégringole les escaliers pour raconter au plus vite à ma mère tout ce que je viens d'apprendre et de voir.

Dorénavant, je peux raconter à mes compagnes ce que j'ai vu et démystifier ainsi la classe où personne ne savait ce qui se passait. Insatisfaites, elles ont d'autres questions :

— Les as-tu vues ?

— De quoi ont-elles l'air ?

— Est-ce qu'elles ont une grosse tête ?

À toutes ces interrogations, ma réponse est toujours la même :

— Non.

Je repose les mêmes questions à mes parents.

— Ben voyons! Elles sont comme tout le monde!

Ils n'osent pas me dire la vérité. Si elles sont vraiment «comme tout le monde», pourquoi ne les voit-on jamais? Pourquoi suivent-elles un horaire différent? Pourquoi ne viennent-elles pas aux récréations? Pourquoi maman ne les a pas appelées «arriérées» devant sœur Marcel-Émond? Non! On me cache quelque chose...

Le temps passe... et mes préoccupations, comme celles des autres écolières, se fixent sur d'autres sujets: la préparation de la Sainte-Catherine, les répétitions de la séance de Noël, les suppositions à propos de nos cadeaux de Noël, la petite nouvelle qui s'ajoute à la classe en janvier, etc. Les arriérées étaient reléguées aux oubliettes. Elles devaient refaire surface au moment où je m'y attendais le moins.

Un soir, alors que je m'appliquais à mes devoirs, ma mère entre dans ma chambre et s'assoit sur mon lit. De toute évidence, elle veut me parler: à moi toute seule. Je complète le tracé du mot que je suis en train d'écrire et dépose ma plume délicatement pour éviter que l'encre dégouline et tache mon cahier. Après quelques phrases d'introduction sur mon devoir, elle en arrive au fait:

— Sœur Marcel-Émond est venue me voir cet après-midi!

— La sœur des arriérées?

— Oui. Elle voulait me demander un service et j'ai besoin de ton aide.

Surprise, je la regarde intensément. Mais dans ma tête, les idées se bousculent. Mon aide ? Sœur Marcel-Émond ? Pourquoi faire ?

— Elle a une élève qui a eu un accident la semaine dernière. Elle a une jambe dans le plâtre.

— Quel service ? Est-ce qu'elle peut marcher… elle a des béquilles ?

— Oui, elle a des béquilles, mais elle a quand même de la difficulté à marcher. Elle peut pas aller manger chez elle le midi : ça lui donne pas assez d'temps. Elle voudrait donc qu'elle mange à l'école.

— Elle va manger au réfectoire, avec les sœurs ?

Comme les religieuses mangent toutes au réfectoire de l'école et qu'une sœur leur prépare le repas, il m'apparaissait logique qu'elles accueillent cette élève dans le besoin.

— Non ! Enfin, elles aimeraient mieux qu'elle mange ailleurs. Tu sais, des fois les religieuses peuvent avoir des conversations qu'il est mieux que les élèves n'entendent pas !

— Mais où elle va manger alors ?

— C'est justement pour ça que sœur Marcel-Émond est venue me voir. Elle voudrait qu'elle mange ici.

— Ici ? Avec nous ?

— Oui. Comme ça, elle n'aura pas loin à aller. Et sœur Marcel-Émond est prête à changer un peu son horaire pour que tu puisses aller la chercher dès que la cloche sonne, que tu l'amènes ici et que tu la ramènes ensuite à sa classe… Elle va se sentir mieux avec nous autres qu'avec les sœurs.

Je n'en revenais pas. Ainsi, j'allais enfin voir de quoi avait l'air une arriérée. Elle mangerait à ma table. J'étais pressée de raconter cela à mes amies.

Le lendemain, avant de partir pour l'école, ma mère me prévient :

— Fais ben attention : tu dois pas l'appeler « arriérée ». Pas devant elle.

Je profite du temps dans la cour de récréation pour partager ma grande nouvelle. Toutes sont aussi excitées que moi. La matinée terminée, conformément à l'entente, je me présente à la classe du troisième et frappe. Une élève m'ouvre. Je ne prends pas le temps de la regarder tellement je suis intimidée. Sœur Marcel-Émond vient tout de suite au-devant de moi et, passant son bras autour de mon épaule, m'incite à entrer. À haute voix, elle me présente à l'ensemble de sa classe.

— C'est Jocelyne, la fille du concierge. C'est elle qui...

Le reste m'échappe. Tous ces visages braqués sur moi. Des quatre coins de la classe. Je rougis. Il n'y a pas beaucoup d'élèves, tout au plus une dizaine. Tout en continuant de parler, la sœur me dirige vers l'avant de la classe.

— Jocelyne, voici Lise, Lise Robitaille. Tu peux partir avec elle, Lise. Tu vas aller manger chez elle. Tout est arrangé avec sa mère.

La jeune fille se lève, prend ses béquilles déposées par terre, près de sa table de travail. Elle me désigne un sac sur le rebord de la fenêtre :

— C'est mon dîner. Veux-tu l'apporter pour moi ?

Je prends le sac. Maladroite, je ne sais pas si je dois lui offrir de l'aider. De toute façon, je ne saurais pas comment. Toutefois, il semble qu'elle se débrouille bien toute seule. L'escalier est long à descendre, une marche à la fois. Et le temps me paraît d'autant plus long que je ne sais trop quoi lui dire. Une fois en bas, je lui ouvre les portes et on traverse la salle de récréation, puis le corridor et on entre enfin dans la maison.

— Maman ! C'est moi ! J'suis avec l'arr…

Ma mère me foudroie du regard.

… la fille que sœur Marcel-Émond nous envoie pour dîner.

Ma mère vient à notre rencontre, lui souhaite la bienvenue. Lise s'installe avec nous à la table et, le premier jour, c'est surtout ma mère qui anime la conversation. Moi, j'observe et lui sourit quand elle me regarde.

Lise est grande, beaucoup plus grande que moi. Selon ma mère, elle doit avoir quatorze ou quinze ans. Ses cheveux blonds, légèrement ondulés, tombent sur ses épaules en *pageboy*. Elle porte une jupe marine et une blouse blanche, beaucoup plus belles que ma tunique réglementaire. En fait, les arriérées jouissent de beaucoup plus de liberté : en plus de ne pas porter de costume, elles peuvent parler en classe, n'ont pas de devoirs et elles apprennent des tas de choses beaucoup plus concrètes et pratiques. Je l'envie !

Ma mère et elle jasent comme si elles se connaissaient depuis longtemps. Elle raconte qu'orpheline de père, elle voit peu sa mère.

— Elle travaille de nuit. Elle coud des vêtements… en dehors de la maison…

Ma mère, qui a déjà travaillé comme couturière, lui demande si elle travaille pour une manufacture.

— Euh… oui… j'pense… j'sais pas vraiment où elle travaille… C'est peut-être pas dans les vêtements…

De toute évidence, la question la rend mal à l'aise. Je me demande s'il y a une honte à travailler dans une manufacture comme il y en a une à être concierge. Voyant son embarras, ma mère n'insiste pas et aborde d'autres sujets.

Soudain, une pensée me traverse l'esprit : c'est une arriérée ! Mais, elle n'est pas différente des autres. Elle est *normale*. Je ne distingue rien dans son physique, dans ses manières, dans son attitude qui indique une déficience quelconque.

Même rituel pendant quelque quarante jours : j'allais la chercher, l'amenais à la maison puis, une fois le dîner terminé, la ramenais à sa classe. Curieusement, de jour en jour, sa famille se transforme. Un jour, elle a deux sœurs et un frère ; le lendemain, trois frères, puis pas de frères du tout.

— J'ai un frère, plus âgé. Il est vraiment beau. Il est blond. C'est rare, un gars aux cheveux blonds, mais les siens sont vraiment blonds… et il a les yeux bleus… il est pas mal grand… au moins six pieds… et musclé, ajoute-t-elle en raidissant ses biceps, comme preuve à l'appui. Je sors souvent avec lui. Il m'amène dans les cabarets, me présente ses amis.

Sa description m'étonne. Mon frère est-il beau ? Musclé ? Jamais je ne me suis posé ces questions. Jamais je n'aurais envisagé de le décrire de cette façon. Mon frère, c'est mon frère, peu importe qu'il soit beau ou musclé. Ça m'indiffère complètement.

— Est-ce qu'il va à l'école ? demande ma mère.

— Non… il est ben trop vieux pour ça… il a 30 ans… il travaille avec ma mère… mais il aime ben mieux travailler avec moi.

Son père, mort le premier jour, ressuscite trois jours plus tard. Son frère devient pilote d'avion. La semaine suivante, sa mère était morte et elle vivait seule dans la pauvreté la plus totale. Et puis, non, elle se rétracte : sa mère lui a laissé en héritage une magnifique maison, presque un château, où elle ira bientôt vivre avec son frère. Véritable moulin à paroles, elle raconte et raconte, mâchant ses mots plus rapidement que son sandwich.

Ma mère, exaspérée par ses élucubrations, n'intervient plus. Elle la laisse parler, l'écoute ou plutôt, fait semblant de l'écouter. Moi, je n'en reviens pas…

Avec le recul du temps, je compris l'invraisemblance de ses récits.

Dire que je l'avais enviée !

❧

Mademoiselle Parent

À MES yeux, elle a toujours été vieille. Elle enseigne en première année depuis belle lurette et adore celles qu'elle appelle affectueusement « ses enfants », même si elle n'est que leur institutrice. La vocation, elle l'a.

Rue des Érables : c'est là qu'elle habite, au deuxième étage d'un triplex, avec escalier extérieur. Un appartement autobus : un long corridor avec, de chaque côté, des pièces doubles, c'est-à-dire deux pièces en une et dont la deuxième n'a aucune percée sur l'extérieur. À droite, son bureau avec une belle bibliothèque vitrée et un magnifique secrétaire, tous deux en chêne massif. Quand j'entre chez elle pour lui livrer une robe que ma mère lui a confectionnée, je dois attendre dans cette pièce exiguë, mais combien charmante. Le secrétaire, surtout, me fascine. Je m'imagine en longue robe, ancienne, assise bien droite, une plume à la main, en train de rédiger une lettre à mon amoureux ou d'inventer de belles histoires, des aventures comme je les aime, à la Norman Dale ou à la manière du Père Hublet, mes auteurs favoris. Je lui apporte la robe et, pendant qu'elle l'essaie dans sa chambre, tout au fond, je lorgne le secrétaire, n'osant y toucher, encore moins m'y asseoir.

— Tu pourras dire à ta mère qu'il n'y a pas de retouches à faire. Tiens, c'est pour toi !

Pour mon déplacement, elle me remet un petit rien, comme elle dit. Cette fois-ci, une image sainte avec une valeur ajoutée : une relique de la fondatrice des sœurs des Saints-Noms-de-Jésus-et-de-Marie, sœur Marie-Rose, de son vrai nom, Eulalie Durocher. C'était sa sœur, religieuse de cette congrégation, qui la lui avait donnée.

Toute jeune, à peine l'adolescence finie, Mlle Parent, Anne-Marie de son prénom, perdit son père. Sa mère se retrouva chef d'une famille de trois enfants : Anne-Marie, 18 ans, Simone et son jumeau Georges, 15 ans. Le cas de Simone fut vite réglé ; puisqu'elle se destinait à la vie religieuse, la congrégation la prit sous son aile et elle quitta la maison rapidement.

— Elle sera l'épouse de Dieu ! disait fièrement la mère d'Anne-Marie.

Cet appel de Dieu, impossible de le contrecarrer. La Vocation, avec un grand V. Quel honneur : une religieuse dans la famille ! C'était s'assurer une bonne place au paradis !

À la mort de son père, Anne-Marie étudiait à l'École normale, rêvant d'obtenir son Brevet A et de devenir institutrice en attendant, bien sûr, de se trouver un mari. D'ailleurs, elle avait rencontré, l'année précédente, un jeune homme sérieux, de trois ans son aîné et déjà instituteur. Elle n'en avait pas encore parlé à sa mère qui voyait d'un fort mauvais œil des fréquentations avant l'âge de l'émancipation : 21 ans. Elle l'avait probablement rencontré lors d'une réunion d'une association catholique quelconque. Depuis, ils se voyaient à la sauvette. Le hasard l'amenait souvent à la porte de l'école que fréquentait Anne-Marie et, ensemble, ils faisaient un bout de chemin. Évidemment, ils se laissaient avant d'arriver rue des Érables, pour ne pas alerter la maman intransigeante. Cela faisait presque un an qu'ils se connaissaient et Anne-Marie se voyait déjà, sortant de l'église en robe blanche, après avoir dit le « OUI » qui changerait son statut et sa vie.

Son destin bascula quand sa mère l'enjoignit de travailler au plus vite afin d'assurer les études de son frère.

— Il sera soutien de famille : il doit avoir une bonne job.

Et tant pis pour les ambitions d'Anne-Marie… elle se contenta d'un Brevet C !

Et tant pis pour l'amoureux d'Anne-Marie… il trouva une autre main à épouser !

Et tant pis pour son désir d'être mère… elle le sublima dans l'amour de ses jeunes élèves !

Résignation ou acceptation, Anne-Marie, munie de son Brevet d'enseignement de classe C, commença à enseigner à 18 ans. Malgré sa désespérance, elle n'a jamais remis en question la décision de sa mère. Elle obéissait ainsi au quatrième commandement de Dieu : le respect des parents. Elle intégrait aussi l'ordre social de son temps, un temps où les femmes se sacrifiaient pour les hommes, où les fils comptaient plus que les filles.

— Il sera soutien de famille. Il doit être instruit.

Son frère termina son cours classique. Puis, il s'inscrivit à l'université. Il s'y enlisa quelques années avant que sa mère comprenne qu'elle n'en ferait jamais un médecin, un avocat ou un ingénieur. Elle consentit donc à ce qu'il interrompe ses études… l'année où Anne-Marie coiffa le bonnet de Sainte-Catherine. Heureusement, les accointances politiques du paternel décédé lui permirent d'obtenir une bonne *job* dans la fonction publique.

Anne-Marie mesure un peu moins de cinq pieds. Déjà, en sixième année, je la dépasse d'un bon pouce. De plus, une légère déformation de la hanche droite rend sa démarche boitillante. Dans son dos, les élèves s'amusent à la singer. À cause de sa petite taille, elle trouve difficilement des vêtements qui lui conviennent. Tant que sa « vieille mère » le put, c'est elle qui taillait et cousait ses robes ; mais avec l'âge, sa vue s'amenuisa et elle dut renoncer à habiller sa fille.

Concierge d'école n'est pas un métier spécialisé et mon père gagne tout juste le salaire minimum. Pour arrondir les fins de mois, ma mère continue à coudre pour des manufactures ; chaque jeudi, on lui livre des robes en pièces détachées qu'elle assemble et, le jeudi suivant, quelqu'un passe les reprendre. Payée à la pièce, elle doit produire beaucoup, travailler vite et bien, pour se faire un salaire décent. En fait, ce travail l'énerve plus qu'il rapporte.

Mon père suggère à Mlle Parent de demander à ma mère de lui confectionner ses robes. C'est ainsi qu'elles entrent en contact : une relation couturière-cliente.

Bien vite toutefois, ma mère devient sa confidente et Mlle Parent, l'amie de la famille. Elle nous chérit, mon frère et moi, plus que nos propres oncles et tantes, parrains et marraines inclus. Représentons-nous les enfants qu'elle n'a jamais eus ? Parce que nous aimons l'école et que nous y réussissons bien, elle se projette en nous, davantage qu'en ses neveux et nièces, les enfants de son « cher frère ». Son affection se manifeste par des cadeaux.

Des livres à nos anniversaires. Souvent des vies de saints : François d'Assise, Maria Goretti, Dominique Savio, Bernadette de Lourdes, les enfants de Fatima. Des romans dont on pouvait tirer une morale. *Les deux frères,* par exemple, raconte l'histoire d'une mère qui a deux enfants : l'un biologique et l'autre adopté ; ce dernier étant chétif et malade, la mère lui fait croire qu'il est son véritable fils. L'enfant biologique est donc, aux yeux de tous, l'enfant adopté. Ce n'est qu'à la mort de son fils adoptif qu'elle révèle son secret. Une histoire d'amour très émouvante.

À Pâques, des surprises chocolatées.

À Noël, un beau missel.

À la fin des classes, le vendredi, vers 4 h 10, Anne-Marie termine souvent sa semaine en descendant chez nous prendre une collation avant de retourner chez elle. Une brique de crème glacée napolitaine ! C'est moi qui ai l'agréable tâche d'aller l'acheter chez Bricault, la petite épicerie du coin. Trente-cinq cents ! Mes parents n'ont pas les moyens de se payer un tel luxe. Il va sans dire que le vendredi, je ne traîne pas. Dès que la cloche sonne, je cours à la maison au cas où Mlle Parent serait là pour la collation car, évidemment, elle la partage avec nous.

Ma mère a continué longtemps de confectionner les robes de Mlle Parent, mais gratuitement. Pour ma mère, on ne facture pas un service que l'on rend aux amis. L'amitié reste en dehors de la relation marchande.

Quand son frère est tombé malade, c'est encore elle qui s'est occupée du bien-être de sa famille, payant les études de son neveu et de sa nièce. Jamais elle n'espéra rien en retour. Heureusement d'ailleurs, car il n'y eut jamais de retour.

Vers la fin des années cinquante, la direction de l'école organise une grande fête pour célébrer son jubilé. Cinquante ans d'enseignement. Et toujours en première année. Combien de jeunes lui doivent de savoir lire et écrire ! Sa classe, c'est son foyer, sa famille. Ses élèves : ses enfants. Un jour, dans le tramway de la rue Rachel, elle croit reconnaître un homme. S'approchant de lui, elle le salue.

— Mais, je ne vous connais pas, madame.

— Je suis Anne-Marie Parent.

— Non, je ne vous connais pas.

— Excusez-moi ; je croyais que vous étiez le père d'un de mes enfants.

L'homme avait de quoi être décontenancé. Heureusement, sa femme n'était pas à ses côtés. La déconvenue de l'homme permit à Anne-Marie de se rendre compte de l'incongruité de sa remarque. Elle rougit, tenta maladroitement de s'expliquer, buta sur les mots. Elle sortit de l'autobus au prochain arrêt même si elle dut effectuer le reste du trajet à pied. Vous auriez dû la voir nous raconter cette mésaventure. Elle la raconta même lors de la fête de son jubilé.

Ce jubilé me permet de mieux fixer son âge. Jubilaire à la fin des années cinquante, elle a donc commencé à enseigner avant la Première Guerre mondiale, vers 1910. Sa naissance se situerait aux environs de 1890, avant l'invention du cinéma. Quand je l'ai connue, elle devait avoir près de 65 ans ! Elle continua d'enseigner encore quelques années après son jubilé. Ma mère la taquinait d'ailleurs, disant qu'elle trichait sur son âge pour ne pas quitter l'enseignement.

À la retraite, elle laisse son grand logement de la rue des Érables et décide d'habiter un petit appartement pour personnes âgées autonomes, dans l'est de la ville. Malgré son âge, elle s'occupe des activités de la maison et organise des parties de cartes, des bingos, des sorties à la cabane à sucre. Elle n'a rien perdu de son dynamisme.

Ma mère n'a jamais été capable de la nommer autrement que Mlle Parent, malgré les incitations de cette dernière pour qu'elle l'appelle Anne-Marie. D'ailleurs, ma mère partage ses amies en deux catégories : celles d'avant son mariage, qu'elle désigne par leur prénom — Hermina, Marie-Marthe, Mercédès… — et celles d'après son mariage, qu'elle nomme curieusement par leur nom de famille — Mme Thibeault, Mme Martin, Mme Boucher…

L'amitié entre ces deux femmes s'est approfondie et étendue sur de nombreuses années, en fait, jusqu'à la mort de Mlle Parent. Si cette dernière trouvait en nous une famille d'adoption, ma mère trouvait en elle la femme de carrière, l'institutrice, qu'elle avait rêvé d'être. Comme Mlle Parent, ma mère avait sacrifié ses ambitions à l'intérêt familial. Ma grand-mère étant souffrante, elle avait peine à s'occuper des nombreux enfants de son second mariage. Lors de la visite paroissiale annuelle, elle se confia au curé :

— Votre fille la plus vieille, lui dit-il, elle est en âge de vous aider. Elle est en cinquième année ? C'est bien assez : elle vous sera plus utile à la maison. Les filles, ça a moins besoin d'instruction... Faites-lui donc lâcher l'école.

Si le curé l'a dit... Parole de sage !

Ma mère n'a jamais terminé sa cinquième année. Pourtant, elle aurait tellement aimé être, comme Mlle Parent, institutrice. Cette similitude de destin les a sans doute rapprochées.

* * *

— Pourquoi tu veux étudier ? m'a souvent dit mon père. T'as pas besoin de diplôme. Tu vas te marier et laver des couches. Ton frère, c'est pas pareil, va falloir qu'il fasse vivre sa famille... Mais toi...

J'étais hors de moi. Ma mère, féministe avant l'heure, n'avait jamais fait de différence entre son garçon et sa fille : mêmes droits, mêmes privilèges, mêmes devoirs. De telle sorte que je ne comprenais pas que, face aux études, il en

soit autrement. Évidemment, ma mère fut mon indéfectible alliée. Pour elle, pas question de privilégier un enfant
plus que l'autre, le fils plutôt que la fille. Si sa fille voulait
étudier, elle étudierait : elle se battrait bec et ongles s'il
le fallait.

Les femmes aux...

J E ne me souviens plus de leurs noms... peut-être Mlle Landry et Mlle Beauchamp. Dans mon souvenir, elles sont grandes, élancées, toujours bien mises... l'allure austère. Elles devaient bien avoir près de la cinquantaine. Quand on est enfant, les adultes nous paraissent vite très vieux.

Pendant que ma mère lave les fenêtres du salon, vautrée dans un fauteuil, je lis avidement un roman d'aventure du père Albert Hublet, ce jésuite resté peu connu, mais dont j'adorais les romans qui mettaient en scène de jeunes héros, la plupart du temps des résistants belges ou des scouts.

— Tiens... v'là les femmes aux femmes ! remarque ma mère.

— Les quoi ?

J'interromps ma lecture. C'est la première fois que j'entends l'expression. J'ai sept ou huit ans, tout au plus et, en ces années-là, il y avait beaucoup de mystères. Des sujets dont il ne fallait pas parler, ou parler tout bas, ou faire semblant de ne pas entendre. C'est d'ailleurs ce que fait ma mère : semblant de ne pas m'entendre.

— Les quoi ?

— Continue donc à lire… c'est pas important.

Trop tard ! Mon intérêt change brusquement de cap. Je me lève et regarde par la fenêtre. Je vois ces deux femmes, encore bien emmitouflées dans leur manteau de fourrure noire, en mouton de perse, malgré le printemps qui s'annonce déjà. Je les reconnais tout de suite : ce sont les *maîtresses* de deuxième et de troisième années. Leurs classes étaient presque en face de la mienne. Certaines de mes amies avaient déjà été dans leurs classes. Pourtant, aucune d'elles ne m'avait jamais rien dit à leur propos. Par l'intonation dans la voix de ma mère, puis par sa façon d'éluder ma question, je sens qu'il y a là quelque chose d'inavouable, que je ne dois pas savoir. Quelque chose de mauvais, naturellement. Que je n'étais pas en âge de comprendre ! Sans doute ! Il ne m'en faut pas plus pour me mettre en mode « enquête ». Quel défaut, quelle tare, peut-être même quel péché se dissimule sous l'expression « femme aux femmes » ?

Tout en les suivant du regard, je réitère ma question :

— Qu'est-ce que ça veut dire : des femmes aux femmes ?

Et la réponse attendue :

— T'es trop jeune… tu comprendras plus tard…

Réponse qui me rend de bien mauvaise humeur.

— Quand j'rai grande, quand j'rai grande, j'suis ben assez grande…

— Continue donc à lire… pis surtout, va pas répéter ça à personne…

Je ne me suis donc pas trompée : il y a quelque chose à cacher. Quoi ? Offusquée d'être encore considérée comme un bébé et déçue du peu de confiance que me témoigne ma mère, je reprends mon roman, mais la concentration n'y est plus. Je me désintéresse du sort d'Étienne, le héros, et le laisse, pieds et poings liés, prisonnier des Allemands.

L'expression me trotte dans la tête : des femmes aux femmes. Je tente de changer les termes et de voir si cela m'aiderait à comprendre : des femmes aux hommes, des hommes aux femmes, des hommes aux hommes... J'ai beau interchanger les termes, cela ne m'apprend rien de nouveau.

Mes questions irritent ma mère, je le sens bien ; elle regrette d'avoir échappé sa remarque. Ma curiosité en est d'autant plus à vif. Son attitude signifie : sujet à ne pas évoquer sur la place publique. Donc, un tabou ! Je viens tout juste d'apprendre ce mot-là dans un livre et voilà que je peux l'appliquer concrètement à une situation. Un tabou, c'est ça... Un secret dont on ne s'ouvre à aucune de ses amies, par crainte de nuire à celle qui l'avait révélé. De toute façon, mes amies n'en savent probablement pas plus que moi.

Je décide de tâter le terrain du côté de mon frère aîné : il m'expliquera sûrement. Le soir, je l'interromps dans ses devoirs et, sans plus de préambule, lui pose la question :

— Maman dit que Mlle Landry et Mlle Beauchamp sont des femmes aux femmes. Ça veut dire quoi, des femmes aux femmes ?

Surpris, il soulève la tête, fronce les sourcils, me regarde d'un air hébété, puis retourne à son travail. Il me répond alors laconiquement :

— J'sais pas.

Je ne lâche pas prise. Je le sais capable de fléchir. J'insiste.

— J'le sais que tu l'sais, mais tu veux pas me l'dire. Pourquoi tu veux pas me l'dire ?

Réponse froide et sans appel :

— Achale-moi pas, j'ai pas l'temps. Va-t'en et ferme la porte.

À l'évidence, lui aussi ne veut pas parler. C'est encore plus grave que je ne l'avais imaginé et cela aiguise ma détermination. Je reprends le « mode enquête » et j'épie les deux institutrices. Le matin, elles arrivaient ensemble. Le soir, elles repartaient ensemble. Dans la cour de récréation, c'est côte à côte qu'elles déambulent en surveillant les élèves. J'en conclus que ces deux femmes s'entendent bien, qu'elles doivent être de très bonnes amies et qu'elles partageaient sans doute beaucoup d'activités.

Peu de temps après, ma mère me demande d'aller faire quelques courses à l'épicerie, rue Mont-Royal. Tout à fait par hasard, je les vois entrer dans un 5-10-15. Décidément, elles font tout en duo. Rapidement, j'entre au Steinberg, choisis les produits, les paie et ressors. Moins de cinq minutes en tout ! Au lieu de reprendre immédiatement le chemin du retour, je me dirige vers le magasin où je les avais vues entrer. De l'extérieur, les grandes vitrines me permettent de les épier ; elles choisissent des bobines de fil. Bien décidée à percer leur mystère, j'attends qu'elles sortent et, de très loin — par crainte d'être vue —, je les suis. Rue DeLorimier vers le nord. Jamais je n'étais allée plus au nord de Mont-Royal. Malgré ma crainte de m'égarer, je poursuis ma filature. L'occasion est trop belle pour que je la rate. À l'intersection suivante, bifurcation vers la gauche. Je cours pour ne pas les perdre de vue. Je note le nom de la rue : Gilford. Prenant à mon tour la gauche, j'ai à peine le temps de les voir emprunter la rue suivante, encore vers le nord. À bout de souffle, car mes paquets pèsent quand même lourd, je presse malgré tout le pas. J'entends déjà, en mon for intérieur, les réprimandes de ma mère :

— Qu'est-ce que t'as fait ? Ça t'a bien pris du temps.

Bordeaux. Dans ma tête, je répète l'itinéraire : Mont-Royal, DeLorimier, Gilford, Bordeaux. Vont-elles continuer encore longtemps ? Je me résigne presque à abandonner quand je les vois entrer ensemble dans un bloc à appartements. Je patiente quelques minutes, puis j'ose pénétrer à leur suite. Je n'entends aucun bruit de pas : elles sont donc entrées chez elles. Je consulte les boîtes aux lettres : Beauchamp/Landry, 108. Est-ce que c'est ça, des « femmes aux femmes » ? Des amies qui restent ensemble dans le même appartement ? Moi qui espérais une grande révélation… ma piètre découverte me déçoit.

Je vire les talons et cours en sens inverse pour ne pas être trop en retard à la maison. Je ne veux pas avoir à expliquer à ma mère la raison d'un trop long retard.

C'était cela des femmes aux femmes ? Des femmes qui vivaient ensemble. Il n'y avait pas de quoi en faire un plat ! Qu'y avait-il de si extraordinaire à ce que deux amies partagent un logement ? Pourquoi en faire un tel mystère ? Sûrement, quelque chose m'échappe. Tant pis ! Pour l'instant, ma réponse me satisfait.

La niochonne

V IVRE à l'école, c'était aussi apprendre à me taire. Mes parents commentaient parfois le comportement ou l'attitude de certaines religieuses ou institutrices. Ils apprenaient des détails sur leur vie qu'il ne fallait pas répéter. Comme de vivre avec un homme sans être mariée. Quel scandale ! De s'absenter pour regarder le match de la coupe Grey ! Quel manque de professionnalisme ! Ces petites indiscrétions, elles étaient légion puisque, mises à part quelques snobinardes, la plupart des membres du personnel appréciaient la sociabilité de mon père et se confiaient souvent à lui. Si mes oreilles de fouine captaient ces confidences, j'étais bien avisée de ne jamais les révéler. Pas même à mes meilleures amies ! Automatiquement, ces informations se classaient dans le casier TOP SECRET de ma mémoire. Un jour, pourtant, ma propre indiscrétion m'amena à découvrir quelque chose d'épouvantable.

C'est l'hiver. Il fait extrêmement froid. Comme je supporte difficilement les basses températures, pendant les récréations, je me faufile, bien à l'abri, chez moi. Je dis bien « je me faufile », car les religieuses n'aiment pas du tout que je déroge aux règles en m'éclipsant du groupe. Mais est-ce mon habileté à passer inaperçue ou la leur à ne pas me dépister, toujours est-il qu'elles ne m'obligent pas à sortir de chez moi pour passer la récréation à l'extérieur. Quelques institutrices laïques se sont installées, comme d'habitude, dans le corridor séparant notre logement de la salle de récréation. Elles ferment la grosse porte coulissante en acier et, ainsi dissimulées, elles fument en toute liberté, sans craindre d'être repérées des élèves. Une femme qui fume, c'est une femme qui n'a pas de bonnes manières. C'est d'ailleurs mon père qui leur avait conseillé cet endroit à l'abri de tout regard indiscret. De tout regard, peut-être ! Mais non de toute oreille ! En entrouvrant légèrement la porte de ma maison et en me cachant, derrière, j'entendais parfaitement leurs conversations.

Un de ces jours, à la récréation du matin, je me réfugie chez moi. Un courant d'air entrouvre la porte de telle sorte que je peux entendre le ramage de trois ou quatre voix dont celle de Mlle Lefebvre, l'institutrice de la 5e B, autrement dit, la mienne.

— Ce matin, j'ai encore repris les fractions. Depuis la semaine dernière que je répète et répète... Ben, y en a qui ont pas compris encore ! Rien ! Vraiment rien ! Il y en a une, entre autres, c'est vraiment désespérant.

Au ton avec lequel elle prononce cette dernière remarque, pas besoin de dessin : cette élève l'exaspère au plus haut point.

— On dirait qu'elle fait exprès pour ne rien comprendre. C'est pourtant pas si compliqué. C'est la pire niochonne que j'aie vue.

La conversation se poursuit, chacune rivalisant à savoir laquelle a l'élève la plus «dure de comprenure» dans sa classe. Pendant les dix dernières minutes de la récréation, il n'est question que d'écervelées, de têtes de linotte, de cervelles d'oiseau, de têtes de pioche... J'écoute, j'écoute... Quand Mlle Lefebvre reprend la parole, je retiens mon souffle. Révélera-t-elle un nom? Le mien? J'ai toujours eu de sérieuses difficultés en calcul, mais au point d'être niochonne? L'une d'elles prononce un nom :

— Moi, c'est Monique Thériault qui me fait suer. Qui l'a eue l'année dernière?

Je ne la connais pas.

— J'pense qu'elle était pas ici l'année passée... elle vient du bas de la ville.

Je tends davantage l'oreille : je ne dois rien manquer. D'autres noms sont mentionnés... que j'oublie presque immédiatement, car ce n'est pas le mien... Puis, Mlle Lefebvre reprend la parole.

— Ben moi, ma niochonne, c'est la...

Mon pouls s'accélère : je suis tout ouïe ; je voudrais avoir un amplificateur dans l'oreille. Au même moment — heureux ou malheureux hasard —, le timbre de la cloche sonne la fin de la récréation. Son retentissement, en plus de me faire sursauter, m'empêche d'entendre la fin de la phrase. Le nom. Elle a dit un nom. Lequel? Le mien, sans doute. J'en suis persuadée. Je sors et prends mon rang

97

comme si j'avais gelé, comme mes autres compagnes, pendant les vingt minutes de la récréation. J'étais gelée, oui ; mais pas de la même manière.

Dorénavant, je n'avais plus qu'un seul but : découvrir si l'étiquette de niochonne m'était ou non destinée. En classe, je prête une attention spéciale aux regards de Mlle Lefebvre, à ses intonations, à ses gestes, à ses mouvements d'impatience. Qui interroge-t-elle ? Quand elle se promène de rangée en rangée pour surveiller notre travail, s'arrête-t-elle plus longtemps près de mon pupitre ? Élève-t-elle la voix en s'adressant à moi ? Et les ratures rouges dans mon cahier de devoir de mathématiques sont-elles plus nombreuses ? Plus foncées ? Plus larges ? Plus prononcées ? Je note les moindres indices. Et le soir, avant de m'endormir, je les revois et les réentends me demandant lequel de tous ces détails peut confirmer ou infirmer que c'est moi, la « niochonne ». Pendant tout l'hiver, je suis revenue souvent coller mon oreille indiscrète contre la porte. Au cas où… Vainement !

Au fil des jours, je m'ancre davantage dans ma certitude. Mentalement, je rejoue les bribes de conversation saisies en cachette, leur ajoute des gestes, des regards que je n'ai pu voir. Puis, comme une soudaine révélation, je comprends. Au moment où Mlle Lefebvre a dit : « Ben moi, ma niochonne, c'est la… », elle n'a pas prononcé de nom. Elle n'en a pas eu besoin. Simplement, en donnant un coup de tête vers la porte de notre logement, elle m'a désignée clairement, sans me nommer. Ainsi, ce n'est pas la cloche qui a enterré le reste de la phrase, ce n'est pas

Mlle Lefebvre qui s'est interrompue avant de cracher le nom. Je viens de dénouer l'énigme ! Un simple hochement de tête et me voilà du côté des niochonnes en mathématiques. Ce geste, l'ai-je imaginé ?

Mon attitude en classe en fut transformée. J'étais réservée, timide, je deviens introvertie, totalement repliée sur moi-même. Mes difficultés en calcul s'amplifient. À chaque fois que Mlle Lefebvre nous demandait de sortir nos livres de calcul — le livre bleu de Gérard Beaudry que je me mis à haïr —, un nœud se resserrait dans mon estomac. Durant les explications, je regardais le tableau et non l'institutrice de peur qu'elle ne me désigne pour effectuer une opération au tableau. Parfois, je n'avais pas le choix : rangée par rangée, elle nous envoyait résoudre chacune un problème. Debout, craie à la main, je restais figée. Je perdais tous mes moyens. Mon cerveau s'ankylosait, je n'arrivais plus à compter, à penser, à réfléchir. Et les invectives de l'institutrice me terrifiaient, accroissaient mon impuissance. Le plus souvent, je retournais à ma place, la tête basse, les yeux larmoyants et abhorrant encore plus — comme si cela eût été encore possible — ces mathématiques, objet de mes tourments. J'aurais voulu être brillante pour lui prouver que je n'étais pas niochonne... je n'y arrivais pas !

— La semaine prochaine, annonce Mlle Lefebvre, il y aura un examen de calcul. Sur les fractions. Un examen important : il va compter pour 50 % de votre note au prochain bulletin.

Elle poursuit en nous mentionnant les pages à réviser et les exercices à faire dans le fameux livre de Gérard Beaudry.

— Tout est là, ajoute-t-elle. Si vous comprenez ces pages et que vous êtes capables de faire ces exercices, je suis certaine que vous aurez une bonne note. Mais il faut étudier, étudier fort. Surtout, ne pas attendre à la dernière minute.

Je vois là l'occasion rêvée de prouver à tous — ainsi qu'à moi, évidemment — que je ne suis pas niochonne. Sans tarder, le même soir, je commence la révision. Tout mon temps, je le consacre au calcul. Quand je ne comprends pas, j'interroge mon frère :

— Comment est-ce qu'on peut additionner $\frac{1}{4}$ avec $\frac{1}{2}$?

Patiemment, il m'inculque la notion de « dénominateur commun ». Je mets du temps à comprendre : c'est vraiment pas évident. Après avoir fait tous les exercices du livre, mon frère m'en invente. Il me donne des devoirs et les corrige. M'explique mes fautes. Tant et si bien qu'une semaine plus tard, je me sens prête à affronter l'examen. Je vise rien de moins que 80 %.

Je décroche un 84. Je jubile. Je ne suis pas niochonne.

❧

Fidèle

— Aujourd'hui, nous allons avoir une pensée spéciale, pendant le chapelet, pour Jocelyne qui a beaucoup de chagrin parce que son chien est mort ce matin. Recueillons-nous. Je crois en Dieu, le Père tout-puissant, Créateur du ciel et de la terre...

Je n'entends plus les paroles de Mlle Aubry. J'ai les yeux fermés et les larmes coulent sur mes joues. Je garde les yeux fermés. Je ne veux pas voir les autres élèves qui me regardent et trouvent sans doute exagéré qu'on prie parce qu'un chien est mort. Moi aussi, d'ailleurs, je trouve ça bizarre. Non pas que mon chagrin soit futile, non ! Mais d'habitude, quand on récite le chapelet, on prie pour la paix dans le monde, pour un papa qui est malade, pour une mère décédée... De vraies raisons, quoi ! Pas pour un chien ! En fait, une chienne, car Fidèle était une femelle. Ce n'est pas pour ma chienne qu'on se recueille. C'est pour moi. Pour ma peine, ma souffrance. Et cela me fait tout drôle que l'on prie pour moi. Suis-je assez importante pour que les trente-trois élèves de ma classe implorent Dieu pour moi ? Je suis gênée de déranger le Seigneur. Il a bien autre chose à faire que de s'occuper d'une fillette qui pleure la mort de sa chienne. Et moi aussi, je réponds aux prières...

— Sainte Marie, mère de Dieu...

Et je prie pour moi. Je croyais qu'il fallait toujours prier pour les autres. Jamais pour soi. Je me sens égoïste. J'ai l'impression de ne pas mériter toutes ces prières qui s'envolent vers le Seigneur...

Il faut croire qu'elles n'ont pas prié assez fort ou que Dieu ne les a pas écoutées ou que Dieu ne m'aime pas... car, au retour à la maison, ma douleur était toujours aussi grande.

Mon frère, Pierre, arrivé de l'école avant moi, a placé Fidèle dans une boîte en carton épais. Il l'a attachée solidement. À la machine à écrire, il a rédigé une épitaphe en sa mémoire.

À toi, Fidèle,
qui nous as fait passer
de si beaux moments.
Nous ne t'oublierons jamais.
Nous te serons fidèles.

Je lis. Éclate en sanglots. Je repense à Dieu, aux âmes des morts, au paradis.

— Y a-t-il un paradis pour les animaux ?

— Je ne sais pas, répond Pierre. Mais si Dieu a créé les chiens, il s'en occupe sûrement quand ils meurent. Il ne peut pas abandonner ses créatures comme ça.

Ces paroles m'encouragent. Un jour, je reverrai Fidèle. Elle m'attend au paradis, j'en suis persuadée. Au paradis, car il ne doit pas y avoir d'enfer ni de purgatoire pour les bêtes. En tout cas, certainement pas pour Fidèle. Et pourtant, je crois bien qu'elle a commis quelques péchés.

D'abord : celui de désobéissance. Elle faisait souvent à sa tête. Chaque fin d'après-midi, en revenant de l'école, j'aidais mon frère à livrer le journal *La Presse* pour une petite épicerie non loin de chez nous. On se partageait les côtés de rue : chiffres pairs, chiffres impairs. De plus, c'est à moi que revenait le sud de la rue Rachel. Et je me rappelle le jour où, malgré l'interdiction de me suivre, elle avait traversé la rue Rachel à ma suite, tout en laissant suffisamment d'espace entre elle et moi pour ne pas que je la voie... La rusée. J'entends un concert de klaxons. Je me retourne et j'aperçois Fidèle qui traverse la rue et qui, me voyant me retourner, s'assoit au beau milieu de la rue, sur la *track* du tramway. Épouvantée, je cours vers elle et la prends dans mes bras. Ouf! Elle l'a échappé belle! Je n'ai même pas eu le courage de la gronder.

Ensuite, la colère. Son lit, c'était une boîte de carton dont on ouvrait l'un des côtés pour lui faciliter le passage et au fond de laquelle on mettait de vieux draps en guise de matelas. Cette boîte, c'était SA boîte. Il suffisait de dire : « Oh! la belle boîte! » pour la voir accourir aussitôt et s'y pelotonner en grognant ou en jappant. Et quand, périodiquement, on changeait les chiffons pour les remplacer par d'autres, il fallait faire vite pendant qu'elle n'était pas là. Autrement, elle s'agrippait aux guenilles en grondant pour nous empêcher de les prendre.

Son défaut le plus grave : la gourmandise. Fidèle avait toujours faim et était prête à manger n'importe quoi. Par ignorance de la bonne alimentation d'un chien et peut-être aussi parce que mes parents n'avaient pas assez d'argent pour acheter de la nourriture pour chiens, elle mangeait tout ce que nous mangions. Le matin, elle mangeait comme nous : deux toasts et buvait même son café instantané. Au dîner ou au souper, elle se régalait de nos restes. Son repas préféré : le spaghetti. Peut-être parce que je voulais que ce soit moi qu'elle aime le plus, je ne finissais jamais mon assiette, prétextant ne plus avoir faim. C'était pour elle. Je n'oubliais jamais sa fête et je me souviens lui avoir offert, en cadeau, une *Cherry Blossom*, ce chocolat à l'intérieur duquel se trouvait une cerise. Elle se couchait et la tenait fermement entre ses pattes et la léchait jusqu'à ce qu'il ne reste plus rien. Je sais : je n'aurais pas dû. Elle était grosse, tellement grosse que son ventre touchait par terre. Certains la dénigraient en l'appelant le « chien saucisse ». Cela me mettait hors de moi !

— Saucisse toi-même ! T'en as l'air d'une saucisse, toi, répliquai-je.

À cet âge-là, j'étais souvent en chicane avec mes amies. Des chamailleries de deux ou trois jours, parfois d'une seule journée, ou même d'à peine quelques heures. Durant ces moments, mes amies savaient comment m'atteindre au plus profond de mon cœur :

— T'as un chien saucisssss… se… T'as un chien sau-cisssssse…, répétaient-elles en criant et en faisant exprès pour étirer les sssss…

Ces fois-là, je me jurais que je ne me réconcilierais jamais : elles seraient mes ennemies jurées... jusqu'à la mort...

Ce sont là de bien tendres péchés comparativement à toutes les vertus dont elle faisait preuve.

Sa première qualité : son sens du devoir. Les jours d'école, après le déjeuner, je m'installais à la table de la cuisine et je révisais mes leçons. Je tirais une chaise à côté de moi. Fidèle s'y assoyait et restait là tant et aussi longtemps que je répétais mes tables de multiplication, mes actes de foi, d'espérance ou de charité, les réponses du petit catéchisme ou « John and Mary are... ». Elle ne bougeait pas. Restait assise. Parfois, mon frère tentait de l'attirer. Peine perdue ! Ma chienne restait à mes côtés.

Quand mon frère devait livrer une commande, une entente avait été prise avec l'épicier qui téléphonait à la maison et ne laissait sonner qu'un coup. C'était le signal. Fidèle a vite compris le stratagème. Quand le téléphone ne sonnait qu'une fois, elle se levait, se rendait près de la porte et était prête à partir. Si mon frère tardait un peu, voulant regarder la fin d'une émission de télé, elle faisait l'aller-retour entre la porte et lui pour bien lui signaler qu'il avait un travail à accomplir. Évidemment, elle suivait mon frère et était sans doute très heureuse de l'encourager dans son travail.

Plusieurs fois par semaine, la salle de récréation était louée à divers organismes. Mon père ouvrait les portes et demandait à Fidèle de surveiller et de lui faire savoir quand quelqu'un arriverait. Mon père venait alors regarder la télé avec nous. Fidèle se couchait à l'entrée de la salle et guet-tait. Quand on la voyait venir s'installer au salon, derrière un fauteuil, c'était le signe : une personne était arrivée. C'était son travail de surveiller et elle le faisait bien.

Son autre qualité : la compassion. Ma chienne, c'était plus qu'une chienne. C'était une compagne de jeu, une confidente, une consolatrice. Bref, une amie. On aurait dit qu'elle sentait mes peines. Elle s'approchait alors de moi, me regardait avec de grands yeux tristes, posait ses pattes sur mes genoux. Si je pleurais, elle gémissait comme pour mieux me montrer son empathie. Je m'assoyais par terre, elle sautait sur moi et me léchait les mains... sans doute une forme de caresse. Entre Fidèle et moi, ce fut une véritable histoire d'amour. Dans la balance qui pesait les péchés et les vertus, le côté des vertus pesait plus lour-dement que l'autre. Et cela lui offrait sans doute son passe-port direct pour le paradis.

Pour la première fois, la mort me privait d'un être cher. Je n'avais jamais cru qu'elle allait mourir. Bien sûr, je savais qu'elle était malade. Elle l'était depuis trois semai-nes. Sa maladie, je la voyais dans ses yeux qui avaient perdu toute vivacité. Dans son comportement, aussi. Quand j'ar-rivais de l'école, elle n'était plus là pour m'accueillir en frétillant de la queue pour montrer sa joie de me revoir. Elle ne jouait plus. À peine se tenait-elle debout ; quand elle tentait de marcher, ses pattes, vacillantes, la suppor-taient à peine. Résignée, elle se couchait. Au début, mes parents ne voulaient pas l'amener chez un vétérinaire.

D'abord, parce qu'ils ne pensaient pas qu'elle avait une maladie grave ; après tout, elle n'avait que trois ans.

— Ça va passer, me disaient-ils. Ne t'inquiète pas ! Dans quelques jours, elle sera mieux.

Et aussi parce qu'un vétérinaire, ça coûte cher. Nous n'étions pas riches. Mais j'ai supplié avec une telle intensité, que mes parents ont accepté. Évidemment, je les ai accompagnés. Je ne me souviens pas du verdict, mais je me rappelle être sortie de son cabinet remplie d'espoir. Ne nous avait-il pas donné des médicaments à lui faire prendre deux fois par jour. Des médicaments qui, je n'en doutais pas une seconde, la ramèneraient à la santé et à sa joie de vivre. J'étais la seule à pouvoir lui faire avaler des pilules. Un jour, deux jours, trois jours... je m'illusionnais : j'avais l'impression qu'elle se sentait mieux. Qu'elle reprenait — c'était le cas de le dire — du poil de la bête.

La veille de mon anniversaire, le 17 octobre, je me levai à l'heure habituelle et me préparai à lui faire prendre sa médication. Je la cherchai dans sa boîte. Elle n'y était pas.

— Où est Fidèle ? demandai-je à ma mère.

Le regard de ma mère parla de lui-même. D'un geste de la tête, elle me désigna la porte d'entrée. Fidèle y était couchée... mais elle ne bougeait pas. Je m'approchai et la touchai. Son corps était raide et froid. Instantanément, je retirai ma main. Et c'est seulement à ce moment-là que je compris vraiment... Je m'assis devant elle et sanglotai.

Ce fut mon premier « vrai » chagrin.

L'accident

Deux heures vingt. La cloche sonne. Récréation. L'institutrice freine notre précipitation en nous obligeant à prendre le rang, tout au long du tableau noir, dans la classe. Pendant ce temps, deux élèves ouvrent les fenêtres pour aérer la classe durant notre absence d'une vingtaine de minutes. Elles rejoignent ensuite le rang et Mlle Haguette ouvre ensuite la porte, nous enjoignant, du regard et de la main, à ralentir l'allure.

— Vous m'attendez au haut de l'escalier.

On obéit. Après avoir fermé la porte de la classe, Mlle Haguette — A-Guette, comme on se plaisait à l'appeler dans son dos —, nous rejoint. Se plaçant face aux premières du rang, elle commence, posément, la descente. Notre classe est au deuxième étage. Subitement, tout s'arrête. On trépigne d'impatience : on va manquer notre récréation. C'est déjà pas assez long ! L'attente se poursuit. Sans explication. Puis, la sœur assistante rejoint Mlle Haguette et lui chuchote quelque chose à l'oreille. A-Guette, d'habitude si flegmatique, semble bouleversée. Pour toute réponse, elle opine de la tête. Elle nous fait alors signe de changer

109

de côté et de remonter l'escalier qu'on vient tout juste de descendre. Dans les rangs — même si on n'a pas, officiellement, le droit de parler —, les élèves murmurent. On grommelle. En fait, toutes les classes sont redirigées vers l'autre escalier, celui du côté sud. Finalement, on est dans la cour. Les élèves s'éparpillent et se livrent à leurs jeux favoris : ballon chasseur, *tag*, quatre coins ; d'autres se contentent de parler avec leurs amies. N'ayant jamais aimé les jeux d'équipe, je suis de celles-là. Curieusement, la récréation se prolonge. Nous qui croyions avoir une récréation écourtée ! Elle s'étire tant et si bien que les élèves s'interrogent :

— Y a sûrement quelque chose qui est arrivé… ça s'peut pas qu'on reste dehors aussi longtemps… ça doit bien faire trente minutes…

— Trente ? Non, ben plus que ça : au moins cinquante… ça doit être grave.

— C'est ben la première fois que j'vois ça : une récréation aussi longue. Pis regardez, y a aucune surveillante dans la cour ! Ça aussi, c'est jamais arrivé.

— Y a dû avoir un accident !

Finalement, la cloche met fin aux discussions. On reprend les rangs et, toutes, on remonte par l'escalier du côté sud. Au retour en classe, l'horloge indique : 3 h 30. Une récréation de plus d'une heure. Comme si de rien n'était, malgré qu'on ressente bien sa nervosité, l'institutrice nous donne quelques problèmes de calcul pour occuper le temps jusqu'à quatre heures, l'heure de la sortie.

Plutôt que de rentrer immédiatement, les élèves forment de petits groupes dans la cour, au pied de l'escalier, sur le trottoir. Même si personne ne connaît exactement la cause de notre récréation miracle, un bruit commence à circuler :

— Un accident ! Une élève de la sixième année C. La classe de Mlle Guindon.

La rumeur s'empare de cette bribe d'information.

Un doigt, un orteil, un bras, une jambe cassée...

Une mort ! Subite. Une élève s'est effondrée, sans connaissance. Sans raison apparente.

Une mort ! Accidentelle ! Deux élèves se sont battues : coups de pied, coups de poing, arrachage de cheveux... l'une a poussé l'autre dans l'escalier... elle a déboulé et s'est frappé la tête... ne s'est jamais relevée.

Un meurtre !

Moi, j'écoute peu ces élucubrations. Je me hâte de rentrer chez moi, car je sais que mon père doit connaître le fin mot de l'histoire. Demain, c'est moi qui aurai le « scoop ». Quelle déception ! Mon père n'est pas là et ma mère, qui revient à peine de l'épicerie, ignore tout de l'événement. Vers cinq heures, le téléphone sonne.

— À l'hôpital ? Qu'est-ce que tu fais à l'hôpital ?

Je comprends tout de suite l'objet de la conversation. Je m'approche et écoute. Pourquoi mon père est-il à l'hôpital ? Est-ce lui qui... ?

— Ah oui ! Comment c'est arrivé ?

— ......

— Comment va-t-elle ?

Ouf! Il ne s'agit pas de lui. De qui?

— OK. À tout à l'heure.

Le récepteur n'est pas raccroché que je bombarde ma mère de questions :

— Qu'est-ce qu'il y a? Pourquoi papa est à l'hôpital? Qui est malade?

— Y a eu un accident. Une élève de 6ᵉ est blessée. Elle est tombée en bas de l'escalier, j'pense. Il sait pas exactement c'qui est arrivé. Sœur directrice a demandé à ton père d'aller en ambulance avec elle parce qu'il y avait personne d'autre. Les maîtresses devaient s'occuper de leur classe et l'assistante est pas là aujourd'hui. Il attend que les parents arrivent, pis y va revenir.

— C'est qui?

— J'sais pas. Y a pas donné de nom.

L'accident était grave, très grave. Hélène Gaudet avait eu la colonne vertébrale brisée. Du moins, c'est la vérité qui s'est transmise de bouche à oreille. Chose certaine, elle n'est pas revenue à l'école ni cette année-là ni l'année suivante.

Quand elle fut de retour chez elle et en meilleure forme, les religieuses s'occupèrent de son instruction. Comme elle était clouée au lit, régulièrement, quelques fois par semaine, une religieuse se rendait chez elle pour l'aider à réviser ses leçons et à faire ses devoirs. Parfois, elles me chargeaient de lui rapporter ses devoirs corrigés. Elle m'accueillait toujours avec le sourire. Moi, intimidée par son handicap, je ne savais comment la regarder. Elle aurait aimé, je le sentais bien, que je reste plus longtemps… La plupart de ses amies l'avaient peu à peu délaissée et elle se sentait terriblement seule. Ces visites me chamboulaient. Je m'en voulais de ne pas être capable de répondre à l'amitié qu'elle m'offrait.

Deux ans plus tard, alors que j'étais en 6e année, elle réapparut, dans ma classe. Du cou jusqu'aux fesses, elle portait un plâtre. Elle avait du mal à se déplacer, ne participait pas aux récréations, mais elle se classait parmi les premières de classe. Son ambition : devenir infirmière. Et elle l'est devenue. J'ai toujours admiré son courage, sa ténacité, sa détermination.

Un incident bête, aux conséquences catastrophiques. Un tiraillement. Une poussée. Au mauvais moment. Quand elle n'avait qu'un pied sur la marche. Elle perdit l'équilibre et... on connaît la suite. Elle aurait pu n'avoir que des éraflures, une entorse, une jambe cassée. Mais il faut croire que c'était son jour de malchance. Elle était mal tombée. En l'espace de quelques secondes, sa vie venait de prendre un tournant dramatique.

On identifia facilement la coupable. Plusieurs élèves l'avaient vue. Elle en pleura. Longtemps ! Elle n'avait pas voulu cela. Ce n'était qu'un jeu. Une taquinerie. Hélène était son amie.

C'était un accident ! Personne n'était coupable. Il n'y avait qu'une victime dont c'était le destin. Une fatalité dont je prendrai du temps à mesurer toute l'injustice !

❦

Les yeux dans l'eau...

J'AI vécu mes études primaires les yeux dans l'eau... Angoissée par tout et par rien, surtout par des riens. Tout m'effrayait. Peur de la mauvaise note. Peur de la mauvaise réponse. Peur d'être prise en flagrant délit de chuchotement. Peur qu'on me croie en train de tricher pendant un examen.

Durant les récréations, j'étais partout maladroite. Au ballon chasseur, incapable d'attraper le ballon. À la corde à danser, incapable d'entrer ou de sortir... À la *tag*, incapable de courir assez vite... Quel que soit le jeu, j'étais la première exclue. Pour éviter cela, je m'excluais moi-même, ne participait à aucun jeu.

En classe, comme j'étais rarement certaine d'avoir la bonne réponse, je me glissais légèrement sur ma chaise pour que l'élève devant moi me cache. Je levais rarement la main, ne posais jamais de questions. Quand il m'arrivait d'être interpellée, je me sentais rougir. Si, par malheur, j'ignorais la réponse, les larmes me montaient tout de suite aux yeux. Je tentais de bredouiller... mes mains devenaient moites. Quand je me rassoyais, il n'était pas rare que je me sente tremblée... Le pire, c'était quand on me demandait d'aller résoudre un problème au tableau... Collée au tableau, la craie entre mes doigts, incapable de tracer le moindre signe comme si, par une sorte de magnétisme, le tableau repoussait ma craie... Les larmes me venaient aux yeux, inévitablement. De retour à ma place, je tentais de me cacher pour les laisser couler.

Pourtant, je réussissais bien. Mes notes étaient nettement supérieures à la moyenne et cela, même en mathématiques. Première en religion. Deuxième en français. Souvent la deuxième de la classe, en concurrence avec Louise Bastien. Ces réussites et la fierté que j'en ressentais n'ont toutefois jamais diminué mes craintes de l'échec ni augmenté, un tant soit peu, la confiance en moi.

Une fois par semaine, le mercredi midi, Mlle Benoît venait donner des cours de diction. Comme mon père lui rendait de nombreux services, elle avait offert de m'inscrire gratuitement à ses leçons. Ces cours m'avantageaient nettement : j'y ai appris à bien articuler, à faire les bonnes liaisons, à projeter efficacement ma voix, à donner de l'expression au texte en haussant ou en baissant le ton, en accélérant ou en ralentissant le débit selon qu'il s'agissait d'une information capitale, d'une explication, d'une émotion. De plus, je détachais aisément mes yeux du livre pour regarder l'auditoire. Bref, j'étais une pro de la lecture orale, et j'en étais consciente.

Par conséquent, lors de la période consacrée à cette lecture, je levais ma main avec insistance...

— Mademoiselle, Mademoiselle… s'il vous plaît !
Moi… moi…

Et quand j'étais désignée, je me levais fièrement et
lisais d'une voix assurée, claire. Je rendais facilement les
émotions du texte. Je sentais que je captivais mon auditoire. Malheureusement, cette activité n'était pas très
importante et l'institutrice y consacrait à peine une heure
par mois. Une heure de pur délice… La seule pendant
laquelle je me sentais en toute confiance.

Vers la fin de ma sixième année, une fête était organisée
à l'occasion de la fête des Mères. Les élèves des cinquième,
sixième et septième années y participaient. Certaines joue-
raient du piano ; d'autres exposeraient des dessins ou des
tricots… Il devait aussi y avoir une séance dont le texte
célébrerait le travail des mères. La responsable de la mise
en scène a demandé à chacune des titulaires de prendre
le nom des élèves intéressées. Évidemment, je lève ma
main… et la lève très haute… les yeux suppliants.

— Jocelyne, tu as beaucoup d'expression quand tu
lis, mais j'ai peur que, devant la foule, tu te mettes à
pleurer…

— Non, mademoiselle, non ! Je pleurerai pas, je pleurerai pas, lui répondis-je en retenant mes larmes.

— Tu vois, tu pleures déjà…

Je baisse la main, frustrée et penaude. Finalement,
comme peu d'élèves manifestent de l'intérêt, elle me dit :

— Bon, tu peux y aller. De toute façon, tu devras
passer une audition avant d'être choisie.

Ravie, je me présente à la première rencontre. On nous remet un texte. La fois suivante, on doit en faire lecture et c'est à ce moment-là que la responsable distribuera les rôles.

Durant la semaine précédant les auditions, j'ai appris tout le texte par cœur. Trente minutes de texte. Devant le miroir, je répète, répète et répète... J'apprends tous les rôles en accordant une attention spéciale à celui de la narratrice, le rôle principal.

Je décroche le premier rôle : celui d'une dame qui explique à des enfants l'importance de la mère au sein d'une famille. Je me souviens encore de quelques bribes :

> *... l'ange dont je vous parle, mes enfants, était un ange étrange... il avait une tache de suie au front...*

À aucun moment, pendant les répétitions, je ne mets en doute ma capacité non seulement à bien interpréter le rôle, mais à affronter le public. Un large public puisque tous les parents des élèves de l'école sont invités à cette célébration !

Moi si réservée, si gênée, si timide, si peu confiante en mes talents, me voilà sur scène. J'affronte sans peur le regard des autres, car ce n'est plus moi qui suis sur la scène, c'est une Autre. Une Autre qui, sans risque de reproches, peut devenir effrontée, méchante ou menteuse. En saluant le public, à la fin du spectacle, je sus que l'on pouvait pleurer de joie.

❧

Sœur Rose-Ange

L'ÉCOLE Sainte-Véronique était tenue par les sœurs des Saints-Noms-de-Jésus-et-de-Marie. Toutefois, plusieurs institutrices étaient laïques. En fait, jusqu'à la sixième année, ce n'étaient que des laïques. De la sixième à la neuvième année, inclusivement — le cours primaire comprenait la neuvième année —, les religieuses prenaient généralement le relais. Les sœurs demeuraient au Couvent Mont-Royal, rue Mont-Royal, près de Bordeaux. Chaque matin, un autobus les amenait à l'école et, vers 4 h 45, le soir, revenait les chercher pour les ramener au couvent. Elles dînaient à l'école dans une pièce étroite et très longue : le réfectoire. Une sœur cuisinière préparait le repas.

En septième année, pour la première fois, mon institutrice fut une religieuse. Comment ai-je échappé à la religieuse en 6ᵉ ? Je n'en sais trop rien. Comme il y avait plusieurs classes, de A à D, j'avais probablement eu la chance d'être inscrite dans la seule classe de l'enseignante laïque. Pourquoi dis-je « chance » ? C'est que, même si je vivais dans l'école et que j'avais l'occasion de voir souvent les religieuses, elles me faisaient peur. Préjugé ou pas, je les trouvais austères, froides, sévères. Quand j'ai appris qu'en septième, je n'y échapperais pas, j'eus grand-peur.

Rose-Ange. C'est ainsi qu'elle s'appelle : sœur Rose-Ange. Probablement moins de trente ans. Sous son habit noir, je devine sa sveltesse. Malgré les œillères blanches qui encadrent son visage, je la trouve très belle. En fait, je ne sais pas si elle l'est vraiment, mais son visage respire la tendresse et s'allume dès qu'elle parle. C'est probablement l'affection qu'elle porte à ses élèves qui nous la rend jolie. Toujours souriante, elle ne se fâche jamais. Comment fait-elle pour maintenir l'ordre en classe ? Je n'en sais rien. Chose certaine, elle ne crie pas, ne nous envoie pas, comme d'autres, faire le pion debout ou à genoux — c'était encore pire — en avant et dos à la classe, ne nous prive pas de récréation, ne nous oblige pas à copier des pages du dictionnaire ou à rédiger des compositions sur « La parole est d'argent, mais le silence est d'or » quand on parle en dehors des périodes permises... c'est-à-dire à peu près tout le temps. Évidemment, mes appréhensions se dissipent rapidement.

Rose-Ange nous donne le goût de progresser, d'avancer. Quelques semaines avant le congé des Fêtes, elle nous remet un gros arbre de Noël sur un carton épais. Notre responsabilité : le décorer. Chaque bonne note se voit récompensée d'une étoile dorée ou argentée à coller sur notre arbre. Que de fois je me suis appliquée pour cette seule raison : embellir mon arbre de Noël.

Pendant les vacances des Fêtes, elle avait installé des ficelles le long des murs de la classe. Sur chacune d'elles, une petite bonne femme en carton. Au retour, après la fête des Rois, elle explique :

— Vous êtes trente-trois. Il y a trente-trois poupées. Une pour chacune. À chaque fois que vous accomplirez quelque chose de bien, vous aurez le droit de faire avancer votre poupée. À chaque fois, selon la valeur de votre travail, je vous dirai si vous l'avancez de un, deux ou trois pouces.

Jamais sœur Rose-Ange ne crée de compétition entre ses élèves. Elle les incite plutôt à obtenir de meilleurs résultats scolaires, à devenir plus responsables et à développer leurs qualités humaines. C'est ainsi qu'elle peut récompenser une élève qui en aide une autre, un pupitre propre, un progrès, si faible soit-il... Chacune a la chance d'avancer sa poupée et d'arriver au bout de la ficelle pour gagner... un simple congé de devoirs.

Outre son rôle d'enseignante, chacune des religieuses s'occupe d'une activité parascolaire. L'une organise la procession de la Fête-Dieu qui coïncide avec celle du catéchisme, une autre dirige les séances de Noël, de Pâques, de la fête des Mères, une autre s'occupe des croisés, de la J.E.C., de la semaine de l'éducation... Sœur Rose-Ange était responsable de la bibliothèque. Une petite bibliothèque, il va sans dire. Tout au plus un millier de livres : elle les range par ordre alphabétique d'auteur, tient une liste des emprunts, vérifie les retours, consulte les catalogues des diverses maisons d'édition, commande de nouveaux livres. Une tâche qui exige beaucoup d'heures de travail non seulement durant l'année scolaire, mais aussi durant les vacances d'été, car c'est à ce moment-là qu'elle examine l'état des livres et les répare, au besoin.

Pour la seconder, sœur Rose-Ange choisit une élève qui s'intéresse aux livres, en l'occurrence, moi. Comme je reste dans l'école, elle me confie non seulement la clé du local, mais également celle des armoires où les livres sont entreposés. Même mon père ne les possède pas. Je suis privilégiée : je détiens les clefs d'un trésor. Si lire était un passe-temps agréable, la confiance que sœur Rose-Ange m'accorde en m'offrant le libre accès à ce « lieu sacré » décuple mon amour de la lecture qui se transforme en une véritable passion.

Chaque fin de semaine, je consacre une ou deux heures à ranger les livres et j'en profite pour en emprunter deux ou trois que je lis avidement et que je peux remettre en tout temps, sans même devoir signer le registre des livres prêtés.

De retour chez moi, je m'assois confortablement dans le vieux fauteuil en velours côtelé, près de la fenêtre du salon, les jambes repliées, le livre appuyé au bras du fauteuil et je pénètre dans un autre monde... J'oublie tout. Je n'entends rien.

— Qu'est-ce que fait Jocelyne ? demande ma mère.

— Elle fait rien. Elle lit, répondait mon père.

Pour mon père, lire est synonyme d'oisiveté, de paresse. Une pure perte de temps. C'est s'emplir le coco de mensonges.

— Va donc aider ta mère à faire la vaisselle au lieu de niaiser.

Je ne l'entends pas. Tapie derrière des broussailles, dans une forêt dense et noire, j'entends les pas de l'ennemi qui avance, qui progresse dans ma direction. J'ai peur d'être découverte ! Je suis Étienne, un membre de la Résistance. Je détiens une information qui pourrait sauver la vie à des centaines de nos soldats. Je ne dois pas me faire prendre. Je me dissimule autant que faire se peut. Les pas se rapprochent. Quelques mots en allemand que je ne saisis pas. Les pas s'éloignent. Plus rien.

— Jocelyne, va aider ta mère à faire la vaisselle.

— Laisse-la donc faire, elle lit, répond ma mère.

Le danger est passé. Contrairement à mon père, ma mère aime que je lise ; elle considère la lecture comme une activité instructive. J'ignore l'ordre de mon père et me replonge dans ce livre du père Albert Hublet dont les romans m'ont suivie depuis la cinquième année. Cette année-là, j'ai lu toutes ses œuvres, du moins celles qui étaient à la bibliothèque de l'école : des romans historiques à saveur patriotique et des romans scouts à saveur chrétienne. Quelques titres me reviennent en mémoire : *Essences de lumières*, *Frais minois*, *Le trésor bien gardé*...

Je ne me souviens que vaguement de toutes ces histoires. Je me rappelle davantage les grands et nobles sentiments qu'ils faisaient naître en moi : le don de soi, l'amour du prochain, le courage...

Dans la salle de récréation, il y avait deux énormes statues adossées au mur : celle de la Vierge Marie et celle du

Sacré-Cœur. J'imagine que des personnes s'y cachent et m'épient. C'est l'influence d'un roman de Norman Dale, mon deuxième écrivain favori, dans lequel des bandits se cachaient dans un espace aménagé à l'intérieur d'un mur.

La lecture, pour sœur Rose-Ange, c'est une rencontre. En fait, de belles rencontres. Avec des auteurs, dit-elle. Moi, je ne prête guère attention aux auteurs. Ils sont une quantité négligeable. Quand je choisis un livre, ce qui m'importe, c'est le titre, les images. Lire, pour moi, c'est surtout vivre avec des personnages. Vivre des aventures, ressentir des sentiments que ma vie quotidienne ne pouvait m'apporter. Découvrir un nouveau monde !

Mais sœur Rose-Ange m'apprend à prêter attention aux auteurs.

— Tu as aimé ce livre. Qui l'a écrit ?

Et elle cherche, sur les rayons, si ce romancier n'a pas écrit d'autres histoires. De tout mon cours primaire, les deux seuls auteurs dont je me souvienne, ce sont le père Hublet et Norman Dale, des auteurs que j'ai fréquentés abondamment, grâce à sœur Rose-Ange qui m'a appris à les découvrir.

De plus, sœur Rose-Ange m'a sensibilisée à l'écriture.

— Le « comment » est aussi important que le « quoi ». Quand tu lis, remarque comment l'auteur raconte son histoire. Arrête-toi sur les mots qu'il utilise, leur précision. Il faut que tu prennes conscience de la manière dont il décrit les lieux ou les paysages. Comment il réussit à susciter l'émotion chez le lecteur… Fais-toi un cahier littéraire.

Je suis son conseil et dans ce cahier, je note tout ce qui m'intéresse des livres que je lis. Très vite, il m'en faut un deuxième et un troisième. Je prends de plus en plus plaisir à y inscrire des mots nouveaux (parfois même leur définition), de belles phrases, de belles pensées... J'ajoute même, de temps à autre, des réflexions personnelles. Parfois, sœur Rose-Ange ramasse nos cahiers et, selon l'intérêt des notes consignées, elle nous permet d'avancer notre poupée de carton.

Vers la fin septembre, en vue de préparer la célébration de l'anniversaire de la fondatrice de la congrégation, sœur Marie-Rose, sœur Rose-Ange compose une chanson à sa mémoire. Du moins, je crois qu'elle l'avait elle-même composée.

REFRAIN
Acclamons, vénérons, bien-aimée sœur Marie-Rose
Acclamons, vénérons, bien aimée, mère Rose.

COUPLET
Sur les bords du Richelieu, ta jeunesse s'écoula
Toujours sous le regard de Dieu, rose du Canada
Les beautés de la nature ravissaient ton âme pure !

À cette occasion, j'apporte la relique de mère Rose que Mlle Parent m'a offerte. Sœur Rose-Ange passe de rangée en rangée, la tenant avec vénération, pour la faire admirer de toutes les élèves. Vous imaginez ma fierté ! Je possède un objet unique et précieux.

Sœur Rose-Ange aime chanter. Non seulement anime-t-elle la chorale de l'école, mais elle dirige aussi les chants de la messe de minuit : évidemment, je participe aux deux. Je me sens tellement bien avec elle que, là où elle est, j'essaie d'y être. Le vendredi après-midi, pour nous récompenser du bon travail de la semaine — peu importe, en fait, qu'il ait été bon ou mauvais —, elle nous apprend toujours un chant. Parfois, certains passages me ravissent : je les copie dans mon cahier de littérature. Tout ce que sœur Rose-Ange touche, elle le transforme en beauté.

La deuxième semaine du mois de mai est consacrée à la jeunesse étudiante. Chaque année, on choisit une chanson-thème. Dès qu'on prend les rangs dans la cour, on l'entonne et on la répète, en boucle, jusqu'à l'arrivée en classe. Quelle aubaine ! Il est si rare qu'on nous permette de parler dans les rangs ! Je me souviens d'une chanson de Germaine Dugas, « Viens avec moi et tu verras ». Des chants d'espoir.

> *S'il est vrai que la vie sourit aux audacieux*
> *Allons suis-moi et ne sois pas si orgueilleux*
> *La vie t'attend, t'ouvre les bras*
> *Ne vois-tu pas là-bas, là-bas,*
> *Viens avec moi et tu verras.*

Avec sœur Rose-Ange, nous sommes en 1958. Sans le savoir, je vis dans les « Trente glorieuses ». Même si elles ne m'apparaissent pas ainsi, puisque ma famille n'est pas très riche et qu'on tire souvent le diable par la queue, il n'en demeure pas moins que les chansons étudiantes respirent cet espoir en l'avenir. Désormais, tout semble possible. Il suffit de vouloir et d'être, comme le suggère la chanson de Dugas, audacieux.

Pour passer du primaire au secondaire, il faut obtenir le certificat de l'Instruction publique. Seuls les examens de fin d'année comptent. Même si, de septembre à juin, on a maintenu une bonne moyenne, il suffit d'un seul échec aux examens finals pour que tout bascule : il faut recommencer la septième année. À mon habitude, j'angoisse terriblement. J'étudie très fort. Pour nous aider, sœur Rose-Ange a préparé un gros document qui regroupe tous les examens des dix dernières années. Durant tout le mois de mai, deux après-midi par semaine, nous refaisons les examens de mathématiques, de français et, bien évidemment, de religion. Elle les corrige et reprend ensuite, en classe, les numéros ratés par le plus grand nombre. En outre, elle obtient l'autorisation de la Mère supérieure d'offrir, le samedi matin, des cours supplémentaires, de neuf à onze heures. Ces cours, elle les destine surtout aux plus faibles ; en fait, beaucoup de premières de classe s'y retrouvent. Je n'en manque aucun. Des dictées axées sur les participes passés : toutes les règles y compris les plus complexes, celle des redoutables verbes pronominaux. D'autres portent sur les homonymes : « on a » ou « on n'a »… « il la prit » ou « il l'a pris ». …

— Le sens… répétait-elle… il faut comprendre le sens de la phrase.

Elle exige qu'on relie, par des flèches, le verbe au sujet et à ses compléments et qu'on les indique clairement. Ainsi, le sens se dégage plus aisément.

Malgré tout ce travail, la peur maladive d'échouer m'empêche de dormir, de manger, de jouer. Je me répète :

une seule mauvaise note, par exemple en mathématiques — ma bête noire —, et tout est fichu.

Voulant mettre toutes les chances de mon côté, durant tout le mois de mai, le mois de Marie, « le mois le plus beau » comme le disait le cantique, je me rends à l'église, à sept heures du soir, afin de réciter le rosaire. Plusieurs élèves de ma classe, encouragées par sœur Rose-Ange, y assistent aussi.

Le célébrant récite la première partie du *Je crois en Dieu ;* les fidèles prennent la relève pour la seconde partie. Quelques fois, des fous rires ! Dans cette longue prière, plusieurs phrases se ressemblent et il suffit d'une brève inattention pour qu'on se mette à tourner en rond et à revenir au début. Chaque dizaine, je la consacre à une matière. Première dizaine, aux mathématiques ; deuxième dizaine, au français ; troisième dizaine, au catéchisme ; quatrième dizaine, à l'histoire sainte ; cinquième dizaine, à la géographie. Et cela recommençait, trois fois. Trois chapelets pour un rosaire. Puis ce sont les litanies, les longues litanies, interminables — que mon père récitait par cœur d'ailleurs, sans doute une réminiscence de son temps d'école où la religion était plus importante que toutes les autres matières.

Les litanies énumèrent inlassablement tous les titres, rôles et fonctions de la Vierge Marie... et, chaque fois, les fidèles répondent : priez pour nous. En fait, dans ma tête, je conjure la Vierge : « Faites que je réussisse mes examens... »

Le dernier jour du mois de Marie, pour augmenter mes chances de réussite, je fais brûler un lampion devant la statue de la Vierge Marie, celle que j'ai priée pendant tout un long mois, quotidiennement. De peine et de misère, j'ai amassé 25 sous car, évidemment, je veux le plus gros. Sans doute ce sacrifice me méritera-t-il de meilleures notes. Je promets même d'en faire brûler un autre si mes résultats sont satisfaisants.

À la fin du mois de juin, malgré la lourde chaleur, c'est la semaine des examens, matin et après-midi. Peut-être pour éviter toute connivence, ce n'est pas notre titulaire qui surveille ; mais celle d'une autre classe. Cela m'insécurise davantage.

— Si on vous prend à tricher, c'est 0 ; et vous êtes exclues des autres examens.

J'ai une peur morbide qu'on croie que je triche. Penchée sur ma copie, je n'ose lever les yeux. Je sens le regard de l'institutrice qui arpente les rangées, de long en large. Elle scrute chaque élève pour en «pincer» une. Quand elle s'arrête derrière moi, je perds tous mes moyens. Je n'arrive plus à écrire. Je me sens épiée. Cherche-t-elle à me prendre en flagrant délit ? J'imagine qu'elle saisit mes feuilles d'examen, les déchire bruyamment, m'amène devant la classe pour me donner en exemple (un mauvais exemple), avant de m'envoyer chez la sœur directrice pour qu'elle m'exclue, sans appel. Elle reprend sa surveillance. Soulagement ! Malgré sa vigilance, aucune n'est surprise à tricher. Nous avions toutes, tellement peur ! Je ne crois pas qu'une seule élève s'y serait risquée. Quelques semaines plus tard, j'ai appris que j'avais obtenu mon certificat avec très grande distinction. Toutefois, je n'ai pas tenu ma promesse : je n'ai pas fait brûler un autre lampion.

Malgré sa jeunesse, sœur Rose-Ange avait déjà été missionnaire en Afrique. Au Basutholand. Un pays qui n'apparaît plus sur la carte changeante de l'Afrique. Et je ne saurais dire ce qu'il est devenu maintenant. Il lui arrivait de nous parler de sa vie là-bas. Des enfants qui n'avaient pas d'école (les chanceux, pensions-nous alors, naïvement !), qui n'avaient pas de quoi manger réguliè-rement, qui allaient pieds nus. Quand elle nous racontait cela, son regard s'élevait parfois au-dessus de nous ; elle ne semblait plus nous voir, mais les voir, eux, comme si un film les faisait défiler sur le mur du fond de la classe ; ses yeux devenaient fixes et, parfois, on avait l'impression que des larmes allaient couler. Sa voix nous émouvait, nous transportait de compassion... si bien qu'à la fin, je ne voulais plus qu'une chose : devenir missionnaire. Mission-naire ! Sacrifice, abnégation, dévouement, compassion, voilà des mots qui avaient une profonde résonance pour moi. J'avais découvert mon idéal, ma route, ma voie, ma « vocation ».

C'était d'ailleurs le missionnariat qui l'avait amenée à la vie religieuse. Fille d'un agriculteur de la région de Saint-Jean-d'Iberville, elle n'avait jamais entendu parler de l'Afrique. Ni de l'Asie ni de l'Océanie d'ailleurs. Dans ces années-là, le monde était petit, se limitait à jusqu'où on pouvait se rendre en voiture. Elle connaissait un peu les États-Unis, car un frère de son père s'y était installé, en bordure de la frontière ; elle connaissait un peu Montréal, la grande ville que ses parents craignaient ; elle connaissait surtout son petit village de Sabrevois, les champs de son père et ceux des voisins. Ces champs, elle les avait parcourus cent, sinon mille fois, en marchant, en courant, en s'y roulant, en s'y cachant… C'était son univers.

Un jour, un prêtre-missionnaire, de passage dans l'évêché, vint faire le sermon du dimanche afin de recueillir des dons pour l'Afrique. Il raconta sa vie là-bas, les besoins de ses habitants… Le pays précis dont il parla, elle ne s'en est jamais souvenue. Le seul mot qu'elle ait retenu, c'était Afrique. Ce fut un véritable coup d'âme. Elle écouta ses paroles avec avidité. Elle fut même déçue quand il descendit de la chaire… Mais la grâce l'avait déjà pénétrée et, à neuf ans, elle venait de décider d'être missionnaire.

Son expérience fut de courte durée… neuf mois tout au plus. Des ennuis de santé. On la rapatria. Elle quitta l'Afrique, mais l'Afrique ne la quitta jamais. Et son amour pour les pays africains en détresse s'élargit à tous les pays en voie de développement. C'est sans doute l'une des raisons pour lesquelles elle nous incitait tant à acheter des « petits·Chinois ». Coûtaient-ils cinq ou vingt-cinq cents, je ne m'en souviens plus. Pourtant, j'avais toute une collection de ces petites cartes signalétiques jaunes, roses ou bleues, au haut desquelles se trouvait le portrait d'un petit Chinois ou d'une petite Chinoise. Au bas de la fiche, on pouvait lui donner un nom, le « baptiser », puisque tel était le but ultime de nos dons : la conversion. Sœur Rose-Ange permettait même qu'on les achète à tempérament.

Dans un grand livre, elle notait nos dépôts. À raison de quelques sous par semaine, j'arrivais à m'en payer un ou deux par mois.

Mon désir de devenir missionnaire ne fit pas long feu. Il s'estompa quelque part entre ma septième et ma huitième année. La foi enfantine est bien éphémère !

* * *

À la fin de ma septième année, mon père demanda et obtint la conciergerie d'une autre école, dans Rosemont. Comme cette école n'avait pas de résidence de fonction, je changeai donc et d'école et de maison. Désormais, j'aurais une maison comme celle des autres.

Table des matières

❧

VOIX NARRATIVES ET ONIRIQUES

Collection dirigée par Marie-Anne Blaquière

BÉLANGER, Gaétan. *Le jeu ultime*, 2001.

BRUNET, Jacques. *Ah...sh***t! Agaceries*, 1996. Épuisé.

BRUNET, Jacques. *Messe grise* ou *La fesse cachée du Bon Dieu*, 2000.

CANCIANI, Katia. *Un jardin en Espagne. Retour au Généralife*, 2006.

CHICOINE, Francine. *Carnets du minuscule*, 2005.

CHRISTENSEN, Andrée. *Depuis toujours, j'entendais la mer*, 2007.

CRÉPEAU, Pierre. *Kami. Mémoires d'une bergère teutonne*, 1999.

CRÉPEAU, Pierre et Mgr Aloys BIGIRUMWAMI, *Paroles du soir. Contes du Rwanda*, 2000.

CRÉPEAU, Pierre. *Madame Iris et autres dérives de la raison*, 2007.

DONOVAN, Marie-Andrée. *Nouvelles volantes*, 1994. Épuisé.

DONOVAN, Marie-Andrée. *L'envers de toi*, 1997.

DONOVAN, Marie-Andrée. *Mademoiselle Cassie*, 1999. Épuisé.

DONOVAN, Marie-Andrée. *L'harmonica*, 2000.

DONOVAN, Marie-Andrée. *Les bernaches en voyage*, 2001.

DONOVAN, Marie-Andrée. *Mademoiselle Cassie*, 2e éd., 2003.

DONOVAN, Marie-Andrée. *Les soleils incendiés*, 2004.

DONOVAN, Marie-Andrée. *Fantômier*, 2005.

DUBOIS, Gilles. *L'homme aux yeux de loup*, 2005.

DUCASSE, Claudine. *Cloître d'octobre*, 2005.

DUHAIME, André. *Pour quelques rêves*, 1995. Épuisé.

FAUQUET, Ginette. *La chaîne d'alliance*, en coédition avec les Éditions La Vouivre (France), 2004.

FLAMAND, Jacques. *Mezzo tinto*, 2001.

FLUTSZTEJN-GRUDA, Ilona. *L'aïeule*, 2004.

FORAND, Claude. *Ainsi parle le Saigneur*, 2006.

GRAVEL, Claudette. *Fruits de la passion*, 2002.

HAUY, Monique. *C'est fou ce que les gens peuvent perdre*, 2007.

JEANSONNE, Lorraine M. M. *L'occasion rêvée... Cette course de chevaux sur le lac Témiscamingue*, 2001. Épuisé.

LAMONTAGNE, André. *Le tribunal parallèle*, 2006.

MARCHILDON, Daniel. *L'eau de vie (Uisge beatha)*, 2008.

MUIR, Michel. *Carnets intimes. 1993-1994*, 1995. Épuisé.

PIUZE, Simone. *La femme-homme*, 2006.

RICHARD, Martine. *Les sept vies de François Olivier*, 2006.

ROSSIGNOL, Dany. *L'angélus*, 2004.

ROSSIGNOL, Dany. *Impostures. Le journal de Boris*, 2007.

TREMBLAY, Micheline. *La fille du concierge*, 2008.

VICKERS, Nancy. *La petite vieille aux poupées*, 2002.

YOUNES, Mila. *Ma mère, ma fille, ma sœur*, 2003.

Achevé d'imprimer en avril 2008
sur les presses de Marquis Imprimeur
Cap-Saint-Ignace (Québec) Canada